Le soleil des mourants

Jean-Claude Izzo

Le soleil des mourants

Note de l'auteur

Il serait faux d'affirmer que ce roman est purement imaginaire. Je n'ai fait que pousser à bout les logiques du réel, et donner des noms et inventer des histoires à des êtres que l'on peut croiser chaque jour dans la rue. Des êtres dont le regard même nous est insupportable. C'est dire qu'à lire ces pages n'importe qui peut se reconnaître. Les vivants et les mourants.

Aux hommes blessés,
et aux femmes qui leur survivent,
tant bien que mal il est vrai.

Pour Catherine,
pour cet amour.

Il faut garder en mémoire la couleur de sa blessure
pour l'irradier au soleil.

Juliet Berto

PROLOGUE

L'hiver, Titi le portait en lui. Il lui sembla même, à cet instant, que le froid était plus mordant dans son corps que dans la rue. C'était peut-être pour ça, se dit-il, qu'il avait cessé de grelotter. Parce qu'il n'était plus qu'un bloc de glace, comme l'eau dans les caniveaux.

Une enseigne lumineuse, au-dessus de l'entrée d'une pharmacie, indiquait la température : - 8 °C. Et l'heure : 20 h 01. Titi, à peine abrité sous le porche d'un immeuble, avait regardé s'égrener les minutes depuis 19 h 30. Puis l'air glacial avait brouillé sa vue. Il avait réalisé alors que la camionnette blanche des Restaurants du Cœur ne passerait pas, qu'il était inutile de l'attendre plus longtemps. Son itinéraire, à l'estafette, n'importe quel crève-la-faim le connaissait sur le bout des doigts : place de la Nation, place de la République, place des Invalides, porte d'Orléans. Mais elle ne passait jamais, mais jamais, place de l'Hôtel de Ville, cette saloperie de voiture ! Et lui, pourtant, c'était là qu'il était, place de l'Hôtel de Ville.

« Et merde ! il se gueula dans la tête. Tu perds complètement la boule, Titi ! » Son regard revint vers l'enseigne lumineuse, mais sa vue était toujours aussi floue. « Ouais, ben, c'est pas la peine de gueuler comme ça, ducon ! il se répondit. Je le sais, hein, je le sais… »

Oui, il perdait les pédales, chaque jour un peu plus. Rico le lui avait dit aussi, dès les premiers froids.

Et d'aller à l'hôpital se faire soigner. Mais Titi, à l'hôpital, il ne voulait pas y aller.

— Tu vas crever, il avait dit Rico.

— Et alors, hein, et alors ! L'hosto, c'est comme crever. Tu y rentres, et tu sors les deux pieds devant. Tu irais toi ? Tu irais ?

— Tu fais chier, Titi !

— Toi aussi, merde !

Depuis, il ne parlait plus, Titi. Pas qu'à Rico. À personne. Ou à peine. Parler, d'ailleurs, il n'y arrivait presque plus. Il n'en avait plus la force.

Devant lui, le feu passa au rouge pour la seconde fois. « Putain d'hiver », il se marmonna, histoire de se donner le courage de traverser. La peur l'avait gagné, Titi, de voir ses os se briser comme de vulgaires stalactites. Pourtant, il fallait qu'il traverse, pour gagner l'entrée du métro.

Sa dernière chance, ce soir, c'était de rejoindre Rico et les autres à la station Ménilmontant. Sûr qu'ils devaient tous se demander où il était passé depuis ce matin. Peut-être qu'ils auraient un truc à manger. Et un coup de pinard à lui filer. Le pinard, c'est ce qui tenait chaud le plus longtemps dans le corps. Mieux que le café, le lait, le chocolat et toutes ces cochonneries.

Une bonne grande rasade de pinard, une clope, et après il verrait, pour la nuit. Fallait juste qu'il arrive avant qu'ils ne s'éclatent tous vers leur foyer d'accueil ou leur planque. Il espérait surtout que Rico serait encore là. C'était quand même son pote, Rico, depuis deux ans.

Titi fit un pas, puis deux. Prudemment. Il marchait en glissant ses pieds sur l'asphalte verglacé. Le chauffeur d'une voiture, à l'arrêt au feu – et que la démarche pataude de Titi dut amuser – lança un appel de phares, en faisant ronfler son moteur.

— Connard ! balbutia Titi, mais sans tourner la tête vers la voiture par peur de glisser, de tomber, de se casser.

Il s'engouffra dans le métro avec satisfaction. Mais il fut surpris de ne pas recevoir sa chaleur en pleine gueule, comme d'habitude. Le froid semblait régner aussi dans les couloirs. Il se remit à grelotter. Il serra son manteau contre sa poitrine et s'assit.

— Z'avez pas une clope ? il demanda à un jeune couple.

Mais il avait dû parler trop bas. Ou peut-être n'avait-il pas parlé du tout, que dans sa tête. Le couple continua d'avancer sur le quai sans un regard pour lui. Il les regarda s'embrasser, et rire.

Un train arriva enfin.

— Mais où qu't'étais, bordel ? lui demanda Dédé.

Des six copains de Ménilmontant, il ne restait que Dédé.

— Rico, il t'a attendu jusqu'à maintenant. Il est parti essayer de te trouver au foyer. Moi, j'allais me casser.

Titi hocha la tête. Plus un son ne sortait de ses lèvres.

— Titi, ça va ?

Avec ses doigts, Titi fit le geste de manger.

— Faim, il crut réussir à dire.

— J'ai rien, Titi. Merde, j'ai rien ! Pas même un coup à boire.

Les yeux de Titi s'éteignirent. Ses paupières se fermèrent. Il piqua du nez. Le changement, à Belleville, l'avait épuisé. Plusieurs fois il avait failli tomber dans les escaliers.

— Oh ! Titi ! Putain, t'es sûr que ça va ?

Titi fit oui de la tête.

— Faut que j'y aille, Titi. Tiens...

Dédé sortit de sa poche une clope froissée, il la lissa entre ses doigts, puis l'alluma et la glissa entre les lèvres de Titi. Les yeux mi-clos, Titi aspira lentement la fumée, en remuant la tête de haut en bas. Sa manière de dire merci.

— Je vais lui dire, là-haut, que t'es encore là, hein, Titi. Tu m'entends, dis ? T'inquiète pas, ils viendront te voir.

Dédé donna une tape amicale sur l'épaule de Titi, puis il disparut sous le panneau Correspondances : Nation-Porte Dauphine.

Le quai était désert. Titi continua de fumer, la clope aux lèvres, les yeux fermés. Il piqua du nez une nouvelle fois.

L'arrivée d'un train le fit sursauter. Plusieurs personnes en descendirent, la plupart en milieu de rame, mais aucune ne le remarqua. Titi tira sur le bout de clope qui restait, puis le jeta. Il tremblait de plus en plus.

Il se leva péniblement, se traîna jusqu'au bout du quai. Là, il se faufila derrière la rangée de chaises en plastique, s'allongea sur le côté, la tête face au mur, puis il ramena le col de son manteau sur sa tête et ferma les yeux.

L'hiver qui était en lui l'emporta.

PREMIÈRE PARTIE

1

« On the road again, et pour toujours »,
disait Titi.

Rico refusa de répondre aux questions des journalistes. En début d'après-midi, il fut le premier de leur petit groupe de traîne-misère à revenir à la station Ménilmontant. Le quai, direction Nation, où ils avaient l'habitude de se retrouver, était verrouillé. Alors, il alla s'installer en face, sur l'autre quai.

Les trains ne circulaient plus. Ça grouillait de monde. Les pompiers d'abord, avec leur matériel de réanimation, puis des policiers et plein d'agents de la RATP. Quand Rico vit comment ils emmenaient Titi, il comprit qu'il était mort.

Une équipe de télévision débarqua. Les informations régionales. La journaliste, une jeune femme au visage austère, les cheveux courts, presque ras, le repéra et l'équipe fut sur lui en quelques minutes. Il n'avait pas eu la force de bouger, Rico. Trop de chagrin.

La mort de Titi.

— La mort de Titi, répéta la journaliste. C'est bien comme ça qu'on l'appelait, n'est-ce pas ?

Il continua à fumer, les yeux baissés, sans répondre. Il n'avait rien à dire. Qu'est-ce qu'il y avait à dire ?

Rien. D'ailleurs, comme devait le déclarer à cette journaliste le responsable du service sécurité de la RATP : « Des SDF qui meurent dans les couloirs du métro, en cette saison, il y en a presque tous les jours, plusieurs par semaine en tout cas, surtout par arrêt cardiaque… »

Rico, le soir, il suivit les infos chez Abdel, un petit troquet d'Arabes, rue de Charonne, où il avait ses habitudes. Il prenait une pression, fumait une clope, regardait la télé, et personne ne venait lui faire remarquer qu'il gênait la clientèle. Abdel, parfois, il lui offrait une assiette de couscous.

— Çui qu'on parle, là, tu le connaissais ? l'interrogea Abdel.

— C'était mon pote.

— Merde ! Paix à lui.

La journaliste, et cela surprit Rico, avait été assez juste dans son commentaire en début de reportage. « Jean-Louis Lebrun, mort à 45 ans, sur le quai du métro Ménilmontant le vendredi 17 janvier vers 22 ou 23 heures, évacué le samedi 18 janvier, à 14 h 30. Des centaines de Parisiens sont passés sans rien remarquer. La RATP non plus. »

— C'est dégueulasse, commenta Abdel.

« Sur des millions d'usagers, ce n'est pas étonnant… » avait poursuivi le porte-parole de la RATP.

— Tu veux une autre bière ?

— Je veux bien.

Puis Dédé apparut sur l'écran.

Dédé, il avait débarqué sur le quai en gueulant après la RATP qui avait laissé crever Titi. « Ouais, ouais… avant de partir, je l'ai averti, l'employé du guichet. Je lui ai dit que Titi, il avait pas l'air bien. Comme malade, quoi. Moi, je pensais qu'ils allaient appeler les pompiers, quoi, et… »

La journaliste lui avait fait répéter ces mots-là, plus calmement, devant la caméra. Bien sûr, le chef de la station affirmait, lui, que l'employé de nuit n'avait pas été prévenu.

— Normalement, conclut, tout sourire, le responsable de la RATP, on ne doit laisser personne dans les stations, la nuit. Mais par souci humanitaire, il arrive que nos équipes de surveillance ferment les yeux. C'est sans doute ce qui est arrivé hier soir.

Rico n'écoutait plus. Il buvait sa bière à petites lampées. Il pensait à Titi. Son ami, depuis deux ans. Son seul ami. Le dernier.

Ils s'étaient rencontrés devant la salle paroissiale de l'église Saint-Charles de Monceau, à faire la queue sur le trottoir avec une vingtaine d'autres. Question bouffe, c'était, paraît-il, ce qui se faisait de mieux à Paris. De plus, l'hôtesse des lieux, Mme Mercier, avait le chic des jolis mots pour rehausser la saveur de n'importe lequel de ses plats. Ainsi, à son menu, une plâtrée de nouilles égrenée de chair à saucisse, servie dans un bol en plastique, devenait « timbale de pâtes à la viande » !

Depuis qu'il avait découvert l'endroit, Rico y venait quelquefois, comme les gens normaux vont au restaurant. Pas trop souvent quand même, parce qu'avant de bouffer, il fallait se taper deux minutes de recueillement, et ensuite prier. Le Notre-Père toujours, suivi d'intentions à la con pour Saint-Vincent-de-Paul, « l'ami des pauvres », pour Notre-Dame-du-Bon-Conseil, puis pour toute une série de saints, chaque fois différents, dont Rico se foutait éperdument.

Mais entendre débiter ces âneries n'était pas la pire des choses. La vacherie, c'est qu'il était nécessaire de retirer son ticket une heure et demie avant l'heure du repas. Le curé de la paroisse, le père Xavier, proposait alors, « à ceux seuls qui le souhaitent, n'est-ce pas », quelques leçons de catéchisme. Bien évidemment, ceux-là étaient les premiers à se mettre à table et à découvrir le menu du jour de Mme Mercier.

Un soir, Rico s'était résigné à suivre le curé. Un sermon, un cantique, ça valait mieux que de rester sur le carreau. Le menu proposait de la morue à la provençale, et de la morue, Rico ne se souvenait plus quand il en avait mangé pour la dernière fois. Ce fut une heure d'enfer, qui lui rappela tristement ses années d'enfance et les cours de religion obligatoires. Le père Xavier avait terminé sa leçon par ces mots : « Oui, mes frères, le Christ eût bien voulu se rassasier des pelures que les pourceaux mangeaient, mais personne ne lui en donnait. » Rico avait cru péter les plombs. Depuis, et même s'il avait apprécié la morue de Mme Mercier, le catéchisme il évitait.

Le jour où Rico et Titi firent connaissance, c'était la veille des fêtes de Pâques. Derrière eux, la queue s'était allongée d'une trentaine de femmes et d'hommes. La porte de la salle paroissiale, toujours close, rendait impossible le retrait de son ticket-repas.

Après une bonne heure d'attente, le père Xavier était enfin venu leur donner une explication. La salle serait fermée le jeudi et le vendredi saints.

— Pour ceux qui croient en Jésus-Christ, avait-il commencé, et je sais que ce n'est pas le cas de tout le monde, mais ce n'est pas grave, il faut rappeler que Notre Seigneur est mort pour nous ce week-end pascal.

Ils avaient tous baissé la tête, se disant, bon, allons-y pour le sermon de Pâques.

Après s'être raclé la gorge, le curé avait repris :

— Ni aujourd'hui, ni demain, nous ne servirons de repas. Nous, les chrétiens, célébrons le dernier repas que Jésus fit avec ses disciples...

— Eh ben voyons ! il bouffe pour la dernière fois, et nous, tintin ! avait marmonné Titi.

— Amen, mon frère, et serre bien ta ceinture, avait répondu Rico en rigolant.

Ils s'étaient regardés puis, sans attendre la fin du laïus, ils étaient partis. À la recherche d'un autre lieu où tambouiller.

— Rue Serrurier, avait hasardé Rico.

— Trop de monde. Puis c'est trop loin pour ce soir.

— Rue de l'Orillon, alors...

— Putain ! tu rigoles ou quoi ! On y chope la diarrhée. Depuis six ans que je suis dans la rue, j'ai noté tous les endroits où j'ai ramassé quelque chose. Tant que je peux, j'évite. Non, on va tenter la Trinité. C'est pas du trois étoiles, mais y a la quantité... Et c'est plein d'étudiantes mignonnes comme tout. La jupette au-dessus du genou, tu verras, ça aide à digérer le riz aggloméré !

Ils avaient ri, et depuis ils ne s'étaient plus guère quittés.

Titi et Rico ne se racontèrent jamais comment, un jour, ils s'étaient retrouvés dans la rue. Ils le savaient, leurs itinéraires, malgré quelques différences, étaient similaires. Alors, tout en fumant des clopes, ils préféraient parler de tout et de rien. Surtout Titi.

Pour Rico, Titi, il avait dû être professeur, ou instituteur. Quelque chose comme ça, quoi. Il avait lu des tas de bouquins et, dans leurs discussions, il y faisait souvent allusion. Un après-midi, ils étaient sur un banc, au soleil, square des Batignolles –

un endroit où ils aimaient se retrouver –, Titi avait dit :

— Tu vois, quand j'étais ado, je lisais des bouquins de Burroughs, Ferlingetti, Kerouac...

Devant la mine inexpressive de Rico, il avait ajouté :

— Tu n'as jamais lu ça, *Sur la route* ?

Rico n'avait jamais rien lu, depuis l'école. Enfin si, des SAS, des Brigades mondaines, des San Antonio quelquefois. Chez lui pourtant, ce n'était pas les livres qui manquaient. Une bibliothèque pleine. Des ouvrages reliés, aux couvertures illustrées, qui arrivaient chaque mois par la poste. C'est Sophie, qui s'était abonnée à ça. Elle trouvait que c'était bien, des livres à la maison. Élégant, disait-elle. Mais elle non plus, elle ne lisait pas. Elle préférait les magazines féminins.

— Non. Tu sais, moi, les bouquins...

— Bof. Des beatniks, c'était. Tu en as entendu parler ?

— Ah ouais.

Mais les beatniks, pour Rico, ce n'était rien que des mecs à cheveux longs, chemises à fleurs et guitare en bandoulière. Il se souvenait du chanteur Antoine. De Joan Baez aussi. Peace and love, tout ça. Pas vraiment son truc, à Rico. À seize ans, il était plutôt du genre tiré à quatre épingles, bien propre sur lui. Et il croyait que la vie se traversait à toute pompe en Ferrari rouge.

— Ces gars-là, les beatniks américains, je veux dire les vrais, ils se faisaient des virées en auto-stop à travers tous les États-Unis. Le vagabondage, la vie sauvage... Kerouac, ce con, il a même écrit un truc pour raconter ça, leurs folles équipées. *Les Clochards célestes* !

Rico avait souri.

— Ben nous, hein, sur notre route, on est loin de décrocher la lune.

Titi avait gardé le silence.

— Ouais. On the road again, c'était leur credo.

Son regard était complètement perdu.

— On the road again, il avait répété, pensif. Quelle putain de connerie !

Ni l'un ni l'autre n'en doutaient, leur route n'était plus une route. Seulement un marais où, chaque jour un peu plus, ils s'enfonçaient. Irrémédiablement. Et même si quelqu'un parvenait à leur saisir la main, il était trop tard. Les mains qui se tendaient vers eux n'étaient pas des mains amies, ne l'étaient plus. Juste des mains bienveillantes. Un gobelet de café chaud. Une boîte de corned-beef. Une portion de Vache qui rit.

— On the road again, et pour toujours, ça, c'est nous, Rico, tu vois.

— Ouais.

— Enfoirés !

— Enfoirés, marmonna Rico, en finissant sa bière.

Sur l'écran, la présentatrice relatait maintenant le drame de centaines d'automobilistes, de retour des stations de sport d'hiver, bloqués sur les routes par d'impressionnantes tombées de neige. Tous les secours se mobilisaient dans les Alpes pour venir en aide à ces malheureuses familles en détresse.

Rico sourit en imaginant que Sophie était peut-être elle aussi coincée sous la neige. Sophie et Alain, Éric et Annie…

— Enfoirés, il marmonna encore, en se levant.

Abdel refusa qu'il paie ses bières.

— Reviens quand tu veux. Y fait chaud, ici.

Rico déroula jusqu'à la bouche le col de son pull camionneur, ferma sa capote militaire, enfonça son bonnet et le tira sur ses oreilles, puis, les mains au fond des poches, il sortit dans le froid. Selon la météo, la température devait descendre au-dessous de -10 dans la nuit.

L'air glacial s'abattit sur lui, aussi blafard que la lumière des réverbères. Il se dit que c'était un soir à aller manger à l'Armée du Salut. Au Palais de la Femme, au coin de la rue Faidherbe. Pour dix francs, sûr, il aurait ses mille quatre cents calories.

Une envie de pleurer lui noua soudain la gorge. Titi ! il se gueula dans la tête. Titi. Il revit son cadavre qu'on emportait. Titi, lui, les autres, ils n'étaient rien. Rien. C'était la seule saloperie de putain de vérité de cette vie. Et il accéléra le pas.

2

Les souvenirs, c'est juste bon
pour faire pleurer.

Cette nuit-là, Rico décida de quitter Paris. À crever, autant crever au soleil. Voilà ce qu'il s'était dit.

Tout ce qui tournait dans sa tête, depuis qu'il avait
vu les pompiers emporter le corps de Titi, le rame-
nait à cette seule évidence : il finirait comme Titi.
C'était une illusion de croire qu'il pouvait encore s'en
sortir, et même qu'il pouvait continuer à s'aménager
un semblant de vie dans la rue.

Par rapport à d'autres, bien sûr, il n'était pas à
plaindre. Il avait une bonne planque pour dormir,
des sympathies dans quelques bars, chez quelques
commerçants du marché d'Aligre et, au bureau de
poste de la rue des Boulets, quand il ouvrait la porte
aux clients, il savait inspirer la compassion. Mais
cela ne durerait pas toujours. Un jour ou l'autre, il
plongerait. Parce qu'un jour ou l'autre, il n'aurait
plus la force de rien. Depuis cet après-midi,
d'ailleurs, il n'avait plus de force à grand-chose.
Seuls les mécanismes de l'habitude avaient fonc-
tionné, pas sa volonté.

Il s'allongea sur le dos et alluma une cigarette. Ça
tiraillait dans son ventre. Il devait être cinq heures.

La faim était le plus précis des réveils. Il se souvint d'une confidence de Titi : « Tu vois Rico, quand j'étais gosse, je pensais que la faim c'était comme le mal de dents, mais en pire. Je veux dire, au bout d'un certain temps. La rue m'a appris que, finalement, c'est pas grand-chose la faim. Ça se négocie mieux que le mal de dents !… » Rico sourit. Titi, ses dents, ça faisait belle lurette qu'il les avait perdues les unes après les autres !

Il attrapa la bouteille de vodka derrière lui, et s'en envoya une longue rasade. La bouteille, il l'avait marchandée pour soixante-quinze francs chez un épicier arabe du faubourg Saint-Antoine, ouvert toute la nuit. De la Smirnoff. Le besoin d'alcool fort s'était fait sentir en quittant le Palais de la Femme. Le plat de lentilles au petit salé avait apaisé son estomac, pas sa douleur. Ni ses angoisses. La mort de Titi avait brisé tous les garde-fous qu'il s'était patiemment construits entre sa vie présente et sa vie passée.

Rico grimaça. Le liquide, comme toujours à jeun, coula poisseux dans sa gorge. Il toussa, reprit sa respiration, puis avala une autre gorgée. Les yeux fermés, il attendit de sentir la chaleur de la vodka dans son corps, puis il tira sur sa clope, et tenta de réfléchir encore un peu. Tourner et retourner les choses dans sa tête, c'est ce qu'il avait fait toute la nuit.

Sa planque, à Rico, elle était au coin des rues de la Roquette et Keller. Dans un immeuble en construction. Dans ce quartier – mais c'était pareil dans tous les quartiers populaires – on démolissait les vieux immeubles à tour de bras, pour reconstruire des appartements grand standing. Rénover, ils appelaient ça, à la mairie de Paris.

Curieux, toujours à l'affût, Rico s'était aventuré sur le chantier une fin d'après-midi. C'était il y a six mois. Les travaux semblaient arrêtés, alors que le gros œuvre des six étages était terminé. Au sous-sol, il découvrit les garages. Des box particuliers. Il s'installa dans l'un d'eux pour la nuit, sur une bâche qui, bien pliée, se révéla être un excellent matelas. Il dormit comme un bienheureux, pour la première fois depuis longtemps.

À six heures, un vigile le surprit. Un grand Noir, tout en muscles sous un impeccable uniforme bleu. *Paris Security*, pouvait-on lire sur l'écusson cousu sur la poche gauche.

— Qu'est-ce tu fous là ?

— Je dormais.

— C'est interdit, le chantier, mec. Tu sais pas lire ?

— D'entrer oui, pas de dormir, plaisanta Rico en ramassant ses quelques affaires.

— Où tu vas ?

— Ben, je me casse, non ?

Le vigile lui tendit une clope, puis du feu.

— Une Dunhill, putain ! ça faisait un sacré bail.

— Y a rien qui presse, mec. Tu peux rester.

Ils se dévisagèrent tout en tirant avec plaisir sur leur cigarette.

— C'est pas moi que ça va gêner, d'accord.

Le vigile, Hyacinthe il s'appelait, un Malgache, lui expliqua que le constructeur avait fait faillite. Un repreneur était sur le coup, mais de là à ce que les travaux recommencent, ça laissait de la marge.

Rico s'installa. Il amena de la gare de Lyon toutes ses affaires réparties dans deux consignes : son sac à dos, un duvet, des fringues, un petit Camping-gaz, des bougies, une tasse en porcelaine et quelques autres bricoles glanées ici et là. Au réveil, il rangeait tout sous la bâche qui, la nuit, lui servait de matelas.

Chaque matin, Hyacinthe invitait Rico à prendre un café et un croissant chez Bébert, un bistrot, plus haut dans la rue, qui persistait à ne pas être à la mode dans ce nouveau quartier branché de Paris.

— J'étais vigile dans un hyper, en banlieue, lui confia Hyacinthe. Un après-midi, je repère un type comme toi...

Il avala une gorgée de café.

— Va pas te vexer, hein, Rico, c'est juste pour dire, et que c'était mon job de surveiller.

— Je sais.

— Le mec, il poussait un caddie avec un pack de bières et une baguette de pain dedans. Je le vois qui s'arrête à la charcuterie. Il se fait couper une tranche de jambon, un bout de pâté, et il continue à travers les rayons...

— Et il s'est mis à bouffer !

— Comme tu dis, putain !

— Ça m'est arrivé de faire ça.

— Quand je l'ai revu, il était scotché devant les télés. Pain-pâté, pain-jambon... J'ai laissé courir. Puis, tranquille, il est allé payer son pack de bières, et... le soir, j'étais viré. Le chef du rayon charcuterie, il m'avait dénoncé.

— L'enculé !

— Des enculés, c'en est plein. C'est les mêmes qui supportent pas les Nègres, les Arabes...

— Pourquoi t'es vigile ?

— Je sais rien faire d'autre. Je sais à peine lire et écrire, mec. Eh ! mon job, c'est pas plus pourri que de jouer le Rambo à la RATP !

Quand les travaux reprirent, à l'automne, Hyacinthe rassura Rico. Il n'avait pas de mouron à se faire. Les garages, c'est par là qu'ils finiraient. Il suffisait que Rico dégage avant l'arrivée des ouvriers,

24

pour éviter des emmerdes à Hyacinthe. L'heure de l'embauche, pour Rico, ça ressemblait encore à la grasse matinée.

Ses pensées, cela faisait belle lurette qu'il n'arrivait plus à les maîtriser. Elles venaient par vagues, sans ordre, et il avait du mal à se concentrer sur une seule idée.

Sa cigarette commença à lui brûler les doigts et il s'accrocha au souvenir de son dernier domicile fixe. Trois ans déjà. Il vivait avec Malika. Mais ce n'était pas le désir de Malika qui l'obsédait à cet instant. Elle n'éveillait plus rien en lui. Pas plus que Julie. Ni même Sophie, dont il avait pourtant été fou amoureux. Les femmes appartenaient maintenant à un autre monde. Aussi inaccessible qu'un gueuleton d'enfer dans un super restaurant.

— Comment elles font ? avait demandé Titi en matant une jolie brunette qui faisait les cent pas sur le quai, en attendant le métro.

Elle portait une minijupe sous son manteau ouvert.

— Comment elles font quoi ?

— Pour l'avoir aussi ras le bonbon, sans se geler.

— Ça doit leur réchauffer la chatte de nous exciter, avait plaisanté Rico.

— Ouais…

Mais Rico ça ne l'excitait pas du tout. Même imaginer qu'il glissait sa main entre les cuisses de la fille ne le faisait pas bander. Il ne se branlait plus depuis longtemps. Sa queue restait flasque, et aucune image de femme ne l'aidait à la durcir, à la redresser. Fût-elle celle de Sophie lui tendant son cul pour qu'il la prenne en levrette. Au bout d'un moment, ce bout de chair pendouillante entre ses doigts l'écœurait. Il se dégoûtait.

— Ouais, avait repris Titi sans lâcher la brunette des yeux, ben nous, faudrait qu'on s'envoie au moins dix steaks saignants avant de pouvoir baiser une fille comme ça.

Elle était repassée devant eux, lentement.

— Z'auriez pas une clope pour moi et mon copain ? avait demandé Titi.

Elle avait haussé les épaules, avec indifférence.

— On n'est pas son genre, vieux.

Ils en étaient là. Impuissants à vivre.

Rico écrasa sa cigarette et s'envoya une nouvelle longue gorgée de vodka. Ça commençait à bien chauffer dans son corps. Pour réfléchir, il n'y avait rien de tel.

Il n'en avait jamais voulu à Malika. C'était la vie. Chacun a la sienne. Et, à un moment, il faut savoir sauver sa peau. C'est ce qu'elle avait fait. Deux ans, ils avaient vécu ensemble. Rue Lepic. Un petit deux pièces, au sixième étage sur cour. Malika, elle bossait comme standardiste dans une boîte à Issy-les-Moulineaux. Il n'avait jamais su comment elle s'appelait, cette société. Lui, il s'était trouvé un job de coursier pour un marchand de vidéos porno. Il livrait des cassettes, hyper hard sans doute, dans les quartiers chic de Paris.

Malika et lui, ça allait. Ce n'était pas le bonheur, mais ça allait. Une vie qui ressemblait à la vie normale des autres, qu'il croisait dans la rue. Pas comme avant, quand il vivait avec Sophie, mais juste assez normale pour croire que, enfin, on va pouvoir se refaire. Tout recommencer.

Un jour, on lui faucha sa mob. Son patron refusa de lui en fournir une autre.

— Tu te démerdes. Pas de mob, pas de boulot. Je

vais pas payer des mobs à tous les cons comme toi. Le prochain que j'embauche, faudra qu'il ait un moyen de locomotion. Ça sera la condition. Toi, ou tu te trouves une mob d'ici demain, ou tu dégages…

— Allez vous faire foutre !

Il s'était entêté, Rico. Et il ne trouva plus d'autre job. Avec Malika, les rapports commencèrent à se tendre. Parce qu'il devenait difficile de vivre à deux avec son SMIC et les ASSEDIC.

Le temps passa. Un an. Rico épuisa ses ASSEDIC, à traîner et à picoler de bar en bar. Il épuisa aussi la patience de Malika. Un soir, en rentrant, passablement bourré comme souvent, il trouva l'appartement vide. Malika s'était tirée, emportant presque toutes leurs affaires. Elle ne lui avait même pas laissé un mot. « Bon, il s'était juste dit. C'est pas la fin du monde, hein. » Et il était redescendu boire des coups, place Blanche.

Rico garda l'appartement. Les loyers s'accumulèrent. Les lettres recommandées. Les notifications d'huissier. La veille de l'expulsion, il se cassa, n'emmenant que des fringues et quelques bricoles qui se révélèrent vite inutiles dans la rue. Le peu qu'avait laissé Malika, il l'avait bazardé depuis longtemps. Y compris ce qui appartenait au propriétaire. Le petit frigo et la plaque chauffante de la kitchenette.

C'était fin mai. L'air sentait bon le printemps. Rico dormit à la belle étoile, dans le square Henri IV. Ce premier matin, il le vécut comme un matin de bonheur. De liberté. Il avait tourné la page. Il allait vers l'inconnu. Après ces années minables avec Malika, il se découvrait désenchaîné.

Une autre vie, qu'il commença, sac au dos, comme un touriste dans Paris. Il claqua soixante francs dans un superbe petit déjeuner, place du Châtelet, avec jus de fruit, café, croissants et tartines. En sortant du bar, il se dit que ça n'allait pas être si dur que ça, la vie dans la rue. Il avait la pêche, non ? La ville était à lui.

Quand Titi lui avait raconté l'histoire des beatniks, Rico avait repensé à ce premier matin, sans rien en dire. On the road again, ouais, tu parles, quelle connerie ! Et pour toujours, saloperie de merde ! Parce que six mois plus tard, le *pour toujours*, ça ne faisait aucun doute pour Rico. Il réalisa que tout ce qu'il avait emporté ne lui servait strictement à rien. L'essentiel – de bonnes chaussures, un canif, un coupe-ongles, un duvet... –, il l'avait négligé, tellement persuadé que cette situation ne durerait pas.

Il y avait les souvenirs, aussi.

— Des conneries, avait dit Titi. Tu te trimballes avec des lettres, des photos. C'est juste bon pour chialer et te casser le moral. Quand tu coupes les ponts, tu les coupes. Faut choisir.

Il avait tout jeté. Les lettres de Sophie, leurs photos. Il n'avait gardé qu'une photo de Julien. Une photo d'identité. Il pouvait tout oublier, sauf son fils.

Hyacinthe le réveilla.

— Putain, Rico, qu'est-ce tu fous, merde ! T'as vu l'heure ? C'est l'heure de l'embauche.

Rico se sentait vaseux.

— Remballe-moi ça vite fait.

Il était fâché, Hyacinthe. Rico transgressait leur accord pour la première fois.

— Désolé, il dit en se levant.

— Magne-toi !

Rico ne rangea rien. Il repoussa tout en vrac sous la bâche. À cet instant, il se foutait de tout, même de Hyacinthe. Il savait enfin où aller. Un endroit où mourir.

— Je vais me tirer, Hyacinthe. Je me casse d'ici.

— Fais pas chier ! J'ai rien dit.

— C'est pas ça. Dans deux jours au plus tard, je me barre. Fini. Tu me verras plus. Je pars dans le Sud. À Marseille. Marseille, répéta-t-il avec joie.

C'est là que je l'ai rencontré, Rico. À Marseille. Et que j'ai appris tout ce que je sais de lui et de cette chienne de vie, où tout le monde est seul et comme vaincu.

3

Là où percent l'amertume
et la grandeur des rêves.

Marseille. Dans ce mauvais sommeil, agité, douloureux, qui avait été celui de Rico, des clichés de
Marseille avaient resurgi. Lentement, d'abord. Par
flots, ensuite. Des rues, des places, des bars. Et la
mer, les plages, la roche blanche...

Ces souvenirs arrivèrent dans sa tête, telles des
cartes postales que le passé lui adressait. Comme si
le passé venait enfin de retrouver son adresse et lui
faisait suivre un courrier non distribué depuis
quinze ans. Souvenir de Marseille. Meilleur souvenir de Marseille. Tendre souvenir de Marseille.

— Je t'aime, Léa.

— Moi aussi, je t'aime.

Léa.

Son image s'imposa à Rico au petit matin, quand
il se rendormit, après avoir vidé la bouteille de vodka.
Nostalgie d'un bonheur perdu. Sentiment que, peut-
être, il avait raté sa vie, en choisissant un jour d'épou-
ser Sophie plutôt que Léa.

Quand il la rencontra, Léa commençait des études
d'architecture. Lui, il venait de débarquer à Marseille,

après avoir accompli son service militaire à Djibouti, dans l'infanterie de marine. Avec ses copains de régiment, il attendait sa démobilisation au camp de Sainte-Marthe, au nord de la ville.

Une fin d'après-midi, alors qu'il déambulait au hasard avant de retrouver ses potes pour une nouvelle virée nocturne, il se perdit dans un entrelacs de ruelles.

Léa photographiait la façade d'un vieil immeuble. Elle était de dos. Large pantalon de toile beige, pull ample écru couvrant les fesses, et une boule de cheveux noirs frisés en guise de tête. Il s'approcha.

— S'il vous plaît.

Elle se retourna, et il eut le souffle coupé par la beauté de son visage. Des yeux noirs, profonds. Un nez fin. Des pommettes hautes. Des lèvres carmin, joliment ourlées.

— Oui.

— Heu… Excusez-moi, dit-il, troublé. Vous pouvez m'indiquer où est le Vieux-Port ?

Elle le regarda avec étonnement, un léger sourire sur les lèvres.

— Vous êtes perdu, c'est ça ?

Il y avait de l'ironie dans sa question. De l'impertinence aussi.

— Ouais… Je ne suis pas d'ici.

Elle éclata de rire devant sa sincérité.

— Mais on ne peut pas se perdre dans cette ville ! Toutes les rues descendent vers la mer.

— Ben, peut-être… Mais… j'ai pas dû trouver la bonne rue qui descend !

Elle rit encore, et Rico aima ce rire.

— J'y vais sur le port. C'est pas très loin.

Une invitation.

Il la suivit et se garda de faire le moindre commentaire. Ils marchèrent en silence, côte à côte. Elle avançait d'un bon pas, le nez en l'air, le regard comme à l'affût. Léa lui arrivait à peine à l'épaule et, plusieurs fois, il eut envie de poser son bras autour de son cou. Mais il n'en fit rien. Dragueur, ce n'était pas son genre.

— Vous êtes photographe ? osa-t-il pour rompre le silence.

— Non. Mais j'aime bien. Et vous ?

— Comme tout le monde. Clic, clac, quoi.

Un sourire s'esquissa sur les lèvres de Léa et Rico sentit qu'elle l'observait du coin de l'œil.

— Et voilà ! dit-elle en bas de la rue Fort-Notre-Dame.

Le Vieux-Port était là, baigné par la lumière du soleil couchant. D'un bel ocre pâle, comme souvent au printemps.

— J'aime bien cette ville.

— Moi, je l'adore ! s'exclama Léa.

Rico l'invita à prendre l'apéro au bar de la Marine. Elle ne refusa pas. Un, puis deux pastis, en grignotant des pois chiches à l'orientale et des olives noires piquantes. Ils se parlèrent un peu d'eux. Rico, non sans fierté, évoqua ses douze mois passés à Djibouti. Les paysages, les couleurs, les odeurs. Le désert, le lac Assal, le lac Abbé. Et le départ des caravanes vers l'Éthiopie... Son émerveillement était encore intact.

— J'aime ces pays, lui confia Léa.

J'aime, j'adore. Je n'aime pas, je déteste. Léa n'était pas de ces êtres neutres, toujours à louvoyer, à s'accommoder de l'opinion de l'autre pour plaire, séduire. Rico était sous son charme, prêt à partager toutes les passions de Léa.

Elle connaissait déjà l'Égypte. Elle rêvait de voyager en Jordanie, au Yémen. Plus loin peut-être, en Asie mineure. Et en Arménie, « le pauvre pays de ma famille. »

— Mais pas seule…, ajouta-t-elle en le regardant.
Rico saisit la balle au bond.

— On y va demain ?

Elle éclata de rire, et, une nouvelle fois, Rico se dit
que ce rire, il aimerait l'entendre toute sa vie.

Ils se retrouvèrent tous les soirs, à l'apéritif, jusqu'à ce qu'il soit enfin démobilisé. Ils échangèrent
leurs adresses, en se promettant de se donner des
nouvelles. Rico lui écrivit dès son retour à Rennes,
puis tous les jours. Les lettres de Léa arrivèrent bientôt avec la même régularité, et leur correspondance,
de faussement amicale, devint amoureuse.

— Viens, lui écrivit-elle simplement au dos d'une
carte postale, quelques mois plus tard.

C'était fin juin. Le seul boulot que Rico avait
trouvé, représentant en imperméables pour une
firme allemande, ne commençait qu'en septembre.

Il fit le voyage à Marseille.

Sur le quai de la gare Saint-Charles, ils furent
d'abord timides. Des mots aux gestes, ce n'est pas si
simple. Les yeux noirs de Léa, pétillants, s'accrochèrent aux siens. Rico la prit enfin dans ses bras, et ils
s'embrassèrent avec autant de fougue que dans leurs
lettres. « Ma poupée d'Arménie », lui murmura-t-il à
l'oreille. C'est par ces mots qu'il commençait ses
lettres.

Ils furent gauches, cette nuit-là. Les seules expé-
riences sexuelles de Rico, cela avait été avec des
prostituées, à Rennes, puis à l'armée. Et pour Léa,
c'était la première fois. Ce fut rapide, et, sans doute,
n'eurent-ils pas beaucoup de plaisir. Mais, longtemps, ils restèrent serrés l'un contre l'autre, sans
parler. Dans les yeux de Léa, Rico sembla lire étonnement et joie, incrédulité aussi. Il se sentait désar-

çonné. L'amour, il le découvrait, c'était bien autre chose que de coucher.

— On est bien, murmura Léa.

Et elle tira doucement le drap sur eux, et s'endormit, ou du moins le lui fit-elle croire. Il l'imita, mais lui, il s'endormit vraiment.

— Qu'est-ce que tu prends? elle lui demanda le lendemain matin, quand il ouvrit les yeux.

— Comme toi.

— Café noir, alors. Il est prêt.

De la fenêtre du petit deux pièces de Léa, rue Neuve-Sainte-Catherine, à deux pas de l'abbaye Saint-Victor, on surplombait le Vieux-Port.

— Là-bas, c'est la Canebière, tu vois. Et devant toi, le fort Saint-Jean. Je l'aime. Il est tellement beau au soleil. Derrière, le clocher des Accoules. On va y aller aujourd'hui, tu veux?

Rico la serra contre lui. Combien de fois, dans ses lettres, lui avait-elle décrit le jour qui se lève sur la ville? Ce moment où l'air devient transparent, et où, tel un miracle, les toits deviennent bleus et la mer rose. Il retrouvait tout cela avec exactitude, comme s'il avait toujours vécu là. « À Marseille, tu verras, lui avait-elle écrit, il est des heures du jour où l'on aime se sentir ainsi : debout, à mi-distance entre la lumière et la mer. Une manière de savoir pourquoi l'on est d'ici et pas d'ailleurs, pourquoi l'on vit ici et pas ailleurs. »

C'était ce jour, il s'était dit Rico.

Après, ce fut le tourbillon. L'exubérance de Marseille lui sauta à la gorge. Avec plus de violence, lui sembla-t-il, que lors de son bref séjour au printemps. On y parlait fort, on riait et on criait à tout propos, on se tutoyait dans un grand concert de klaxons.

Place des Moulins, dans le Panier – le vieux quartier, proche du port –, Rico découvrit que Marseille était une ville de collines. Léa lui avait fait grimper les marches de la montée des Accoules.

— C'est seulement en marchant, en flânant, que l'on peut prendre conscience qu'ici on n'arrête pas de monter, de descendre, de remonter.

Rico, jusqu'à ce jour, avait cru qu'il n'y avait qu'une seule colline, celle où trônait Notre-Dame de la Garde. La Bonne Mère des Marseillais, que l'on retrouvait sur toutes les cartes postales.

— C'est comme ça que Marseille se joue des perspectives, commenta encore Léa, avec l'emphase d'une bonne étudiante en architecture.

Rico sentit que cette ville le prenait. Avec la même douceur que les mains de Léa sur son corps la nuit dernière. Il eut soudain envie de l'aimer, là, dans une de ces ruelles étroites, chargées d'ombre, d'histoire, de rires, de cris. Ces ruelles aux noms chantants, et qui l'émerveillaient : rue du Refuge, rue de Lorette, rue des Pistoles, rue du Petit-Puits...

Place de Lenche, un orage violent les surprit, et ils se replièrent chez Léa. Trempés, riant comme des gamins. Leur première sieste à Marseille. Et leurs corps s'accordèrent, avec ce doux plaisir des premières fois. C'était comme si Marseille les portait, les transportait.

Rico se souvenait encore parfaitement de la lumière, d'un bleu presque transparent, qui entra par la fenêtre à la fin de l'orage.

Un jour, ils prirent le bus. Léa voulait lui faire découvrir l'extrême est de la ville. Les petits ports des Goudes et de Callelongue. Le bus longea la mer, puis, passés la plage des Catalans, le vallon des Auffes,

Malmousque, le pont de la Fausse-Monnaie, la rade de Marseille s'offrit à lui. Immense, belle. Un cadeau. Le cadeau de Léa à leur amour.

Ils changèrent deux fois de bus. Après la Madrague-de-Montredon, la roche blanche, aride, lui fit douter d'être encore dans la ville. Les yeux de Rico n'en revenaient pas. Il songea aux îles éoliennes où ses parents l'avaient emmené enfant.

— Voilà le pays du Grand Bleu, dit fièrement Léa en désignant l'archipel de Riou.

Le bruit de la ville, son exubérance, prenaient fin ici. Le silence qui tombait sur eux, à peine troublé par le teuf-teuf des pointus revenant du large, était palpable. De sel et d'iode. Léa et Rico s'assirent derrière un pêcheur à la ligne, et oublièrent le temps.

Léa se taisait. Et maintenant, c'était Rico qui aurait voulu parler. Dire, lui dire ce qu'il avait aimé de Marseille. Leurs yeux se caressèrent, dans la tendresse la plus nue, « celle où percent l'amertume et la grandeur des rêves », ainsi que Léa le lui écrivit, lui rappelant ce moment, quand Rico lui annonça que c'était fini, qu'il avait rencontré quelqu'un d'autre. « Sans doute, avait-elle ajouté, ce fut le même regard qu'échangèrent Pénélope et Ulysse quand ils se séparèrent. »

Mais cette lettre-là, Rico ne la lut qu'en diagonale. Son cœur était ailleurs. Auprès de Sophie.

Quand Hyacinthe le secoua, pour qu'il se lève, la voix de Léa l'interrogeait encore :

— Qu'est-ce qui te fait sourire ?

— Toi. Marseille. Moi. Nous. Nous, ici.

Ils étaient dans la rue Longue-des-Capucins. « La rue du marché de l'Orient », comme elle aimait dire. Toutes les odeurs du Maghreb, de l'Afrique, de l'Asie s'y mêlaient. Aussi entêtantes que le bonheur. Les bonheurs possibles.

Rico n'avait pas osé ajouter : «Nous, toujours, peut-être.» Il aurait dû.

Ces souvenirs inaltérés, les seuls beaux souvenirs qui lui restaient, méritaient bien un autre voyage à Marseille. «À mourir, m'avoua Rico, autant mourir fidèle à des instants comme ceux-ci, tu ne crois pas ?»

4

Chose inexplicable, on peut haïr,
et toujours aimer.

Dehors, il neigeait. Une neige fine et froide qui
n'amusait même pas les enfants. Dans le métro, tout
le monde tirait la gueule, plus encore que d'habitude.
Rico descendit à Ménilmontant, retrouver ses copains
et leur annoncer qu'il partait.

— Putain, où tu étais ? l'interrogea Dédé. Deux
jours qu'on t'a pas vu. On s'est inquiété, bordel !

Au bout du quai, Jeannot, Fred et Lulu pique-
niquaient autour de deux boîtes en plastique pleines
de ce qui ressemblait à une paella. Dédé fumait en
les regardant manger.

— C'est fête, on dirait, plaisanta Rico.

— Le traiteur, répondit Jeannot. Tu sais, qui du
boulevard, au coin d'la rue Oberkampf. Nous en a
fait cadeau, c'midi, quand on est passés, moi et Fred.

— Paraît qu'hier soir, à la télé, y z'ont parlé de
nous, expliqua Fred. Qu'on serait des centaines à crever de faim et de froid dans les rues de Paris…

— Et sa femme, au traiteur, ben, paraîtrait qu'elle
en a pleuré. Alors… T'en veux ? l'interrogea Lulu, en
lui tendant sa cuillère en plastique.

Rico secoua la tête.

— Pas faim.

Il n'avait rien mangé depuis la veille au soir. Il avait essayé, mais rien ne passait. Pas même un biscuit. Une boule douloureuse nouait son estomac. Trop de chagrin. De tristesse. Il s'était mis au régime liquide. Bière et pinard. Quelques cafés aussi.

— Le truc, ricana Dédé, c'est que si on se met tous à crever cet hiver, ça risque de faire désordre dans la capitale ! Hein, les gars !

Les trois autres rigolèrent de la plaisanterie.

Dédé, il balançait toujours des phrases comme ça. Grande gueule, il était. Une ironie, un cynisme qui, parfois, irritaient Rico. Mais il l'aimait bien quand même, Dédé. Titi aussi l'avait aimé.

Ils s'étaient toujours bien entendus tous les trois. Sans doute parce que, même s'ils n'existaient plus aux yeux de la société, ils ne se résignaient pas à accepter n'importe quoi. Pas comme Jeannot, Fred et Lulu. Il suffisait d'ailleurs de les voir bâfrer, pour comprendre. Titi, c'était pour ça qu'il était mort. Parce que sa dignité lui interdisait de dégringoler plus bas. Sûr que les restes de paella du traiteur, il n'y aurait pas touché.

Souvent Rico s'était dit qu'il aurait bien voulu l'avoir rencontré avant, Titi. L'avoir eu comme ami. Il ne l'aurait jamais abandonné, lui. À la différence des autres, en qui il avait cru pendant des années et qui s'étaient tous débinés quand ses ennuis avaient commencé. Vincent, Philippe, Robert, et Éric.

Éric. Son vieux pote du lycée, avec qui il avait fait les quatre cents coups. Son témoin de mariage, qui ne lui avait même pas passé un coup de fil quand Sophie était partie. Vincent, Philippe, Robert, Rico les avait rayés de sa mémoire. Définitivement. Mais pas Éric. Il n'était pas près de lui pardonner.

Il aurait dû s'en douter, pourtant, qu'Éric serait ainsi. Depuis longtemps. C'était dans la logique des choses. Éric était du côté de *la belle vie.* De ce côté du monde où argent rime avec famille et bonheur. Le laboratoire d'analyses médicales, qu'il avait hérité de son père, tournait bien. Une bonne équipe l'entourait. Lui, il ne glandait rien et palpait pas mal de fric chaque fin de mois, du fric judicieusement réinvesti et qui rapportait.

Rico avait encore en mémoire une discussion qui les avait opposés un soir au restaurant.

— J'en ai ma claque de toutes ces balivernes humanitaristes ! s'était énervé Éric. Tu le sais aussi bien que moi, ces types qui sont dans la rue, c'est rien que des connards. Des branleurs. S'ils voulaient bosser...

— C'est la crise, Éric. Mais toi, tu ne veux rien voir, rien savoir. Même dans ma profession, on licencie.

— Ah non ! avait crié Annie, la femme d'Éric, vous n'allez pas parler politique. Ça suffit déjà avec la télé...

— Tu as raison, chérie. N'empêche, on renverrait chez eux tous les Nègres et les Arabes, ça ferait de la place pour les Français dans la merde.

— Éric n'a pas entièrement tort, coupa Sophie. Mais bon, la vraie question, c'est ce qu'on fait pour les fêtes, non ? On part aux Antilles ou au ski ?

En rentrant, Rico s'était disputé avec Sophie. Non pas pour avoir donné raison à Éric, il s'en foutait de ce qu'elle pensait, mais parce que, comme elle ne l'ignorait pas, leur situation financière était plus que difficile.

Après la naissance de Julien, Sophie avait demandé sa mise en disponibilité à la banque qui l'employait. Le rôle d'une femme, avait-elle décrété, était de s'occuper de son enfant, de son éducation. Elle n'était pas vendéenne pour rien ! Mais, Julien scolarisé, Sophie avait décidé ne pas reprendre son poste de conseillère en entreprises. Elle serait femme au foyer, comme Annie.

Rico s'était mis à bosser de plus en plus, à multiplier les déplacements sur le Grand Ouest. Beaucoup plus d'argent rentrait, bien sûr. Mais il était malgré tout difficile de vivre sur le même pied qu'Éric et Annie. D'autant qu'une part importante de ses revenus passait dans le remboursement du prêt de la superbe villa qu'ils avaient achetée à Rothéneuf, près de Saint-Malo.

Un après-midi, sur leur banc, square des Batignolles, Rico s'était laissé aller à raconter ça à Titi. Il avait le blues. C'était la rentrée des classes, et il n'était « pas là », avec Julien. Chaque année, à cette époque, il avait mal. Plus qu'à Noël. Il n'aimait pas Noël. La messe de minuit, le grand repas en famille, le sapin, les cadeaux, tout ce pharisianisme bon chic bon genre.

— À quoi veux-tu que ça serve, que tu viennes ? avait répondu Sophie, quand il avait appelé. Nous savons vivre sans toi, heureusement.

Lors du divorce – un an après le départ de Sophie, parce qu'il s'obstinait à refuser cette procédure –, Rico n'avait même pas obtenu un droit de visite. Alcoolique et violent. L'avocat de Sophie avait réussi à faire gober ça à la juge chargée de leur dossier, pour justifier l'abandon du domicile conjugal de sa cliente. Toutes les femmes de ses amis avaient abondé dans ce sens. Annie, la première. Annie, il est vrai, il l'avait traitée de « pouffiasse de bénitier ». Mais il n'était pas ivre, ce soir-là, seulement en colère, et meurtri.

Ému par le récit de Rico, Titi, pour la première fois, s'était un peu livré. Rico avait alors compris ce qui les unissait. Ils avaient cru à la même chose. Ils avaient rêvé d'amour, d'une vraie famille, d'une bonne situation. De sécurité et de stabilité aussi. Et tout s'était écroulé, sans qu'ils sachent vraiment pourquoi.

— Je vais te dire, un jour, je n'ai plus eu envie de me battre pour réussir. Gagner de l'argent, toutes ces conneries… Tu vois, dans la rue, c'est plein de braves types comme nous, Rico. Ma conclusion, après ces années de galère, c'est que l'exemple de la société, ça ne donne pas particulièrement envie d'y retourner. Moi, tu peux me croire, je n'y retournerai plus dans leur monde.

Rico avait souvent réfléchi aux propos de Titi. Il avait beau les tourner et retourner dans sa tête, il ne réussissait pas à décider s'il en avait envie ou non, de revenir à la vie d'avant. Jusqu'à ce qu'il aille à Rennes, hier.

Après avoir quitté Hyacinthe, Rico était parti faire la manche au bureau de poste de la rue des Boulets. Sans grand enthousiasme. Mais il fallait qu'il se fasse un peu d'argent. Ça devenait indispensable.

Et puis, faire la manche avait un avantage. Cela permettait de ne pas penser. Rico avait découvert ça, qu'ouvrir la porte du bureau de poste, tendre la main, dire bonjour, au revoir, merci, merci bien, merci beaucoup, au revoir, bonne journée, nécessitait d'avoir la tête totalement vide.

— À partir du moment où tu te mets à «bosser», tout ton être doit se concentrer sur un minimum de mots et de gestes. Il faut que les pièces tombent dans ta main. Un maximum.

Titi lui avait expliqué tout ça, quand Rico raconta qu'il se faisait à peine soixante francs par jour.

— Mets-toi bien ça dans la tête, Rico, tendre la main, c'est admettre, une fois pour toutes, qu'on est hors circuit, qu'on ne s'en sortira plus.

— Je sais.

Rico avait repoussé ce moment tant qu'il avait pu. Il s'y était mis un matin, dès six heures, après avoir passé vingt-quatre heures sans un sou, même pas une « puce ». Il avait tout compris de sa déchéance, et qu'elle était absolue.

— J'ai tellement honte.

— On a tous eu honte. Mais si tu dépasses pas ça, tu es mort, Rico.

La honte, Rico l'avait toujours. Mais il avait trouvé le truc, juste pour s'y mettre, noyer cette humiliation. Il s'envoyait un bon litre de pinard, puis un ou deux petits cafés pour masquer l'odeur, et il se concentrait sur chaque personne qui entrait dans le bureau de poste. Il arrivait, comme ça, à gagner entre cent et cent cinquante francs en « bossant » huit heures. Ce jour-là, il se fit cent cinquante-huit francs. Un bon jour pour aller voir Julien, il avait pensé.

Gare Montparnasse, il prit l'avant-dernier TGV pour Rennes. Au cas où un putain de contrôleur le débarquerait au Mans, il pouvait encore tenter sa chance avec le dernier train qui, lui aussi, était direct Le Mans-Rennes. Mais aucun contrôleur ne passa.

Comme chaque fois qu'il venait à Rennes, une fois par mois environ, il dormit dans le parking auto derrière la gare routière. Personne ne l'avait jamais fait chier, ni des vigiles ni d'autres routards avec leurs saloperies de chiens. Le matin, il prit un café dans la brasserie de la gare, puis alla se débarbouiller et se raser dans les toilettes du bar.

À huit heures, il partit vers le centre-ville, rue d'Antrain, où se trouvait le collège de l'Adoration, l'institution privée dans laquelle Sophie s'était empressée d'inscrire Julien après leur séparation et son installation à Rennes. C'était l'école où étaient scolarisés les enfants d'Éric et Annie. Et Armel, la fille d'Alain, l'homme avec qui Sophie vivait aujourd'hui.

Il fuma deux clopes, appuyé contre un mur, face à l'entrée du collège. La voiture de Sophie arriva. Une Golf GTI blanche. Il se redressa. Sophie avait ses habitudes. Quelle que soit la circulation, elle se garerait en double file, pas loin d'où il se tenait.

Armel sortit de la voiture, puis Julien.

— Bonjour, dit Rico.

Julien le dévisagca. Chaque fois que Rico se pointait ainsi, Julien lui offrait le même regard. Un regard où il ne pouvait rien lire. Ni mépris, ni tendresse, ni joie, ni indifférence. Rien.

— Dépêche-toi, Julien, cria Sophie.

Elle était descendue de voiture sans se soucier de la présence de Rico. Elle tenait Armel par la main. Julien la rejoignit. Ils traversèrent. Devant le porche, Julien et Armel embrassèrent Sophie, puis ils pénétrèrent dans le collège. Julien ne se retourna pas.

Rico alla au-devant de Sophie. Ses yeux bleus le foudroyèrent.

— Je suis pressée.

Ses cheveux blonds retombaient en cascade sur le col d'un manteau en cachemire, beige, ouvert malgré le froid. Elle portait un pull blanc à col roulé sur une jupe moulante, couleur châtaigne, qui laissait découvrir ses belles jambes bien au-dessus des genoux.

Rico ne put s'empêcher de repenser à la question de Titi, le jour où il matait la brunette en minijupe. « Comment elles font ? » Rico avait la réponse aujourd'hui. Elles sont heureuses, voilà. Et le bonheur tient chaud.

Il était à moins d'un mètre de Sophie. Elle était toujours aussi belle et désirable. Si elle avait dit « viens », il l'aurait suivie, oubliant tout ce mal qu'elle lui avait fait. Oui, il aurait pardonné. On pouvait haïr, et toujours aimer. C'est une chose qu'il n'avait jamais comprise, qu'il ne comprendrait jamais.

— Je vais partir. Vous me reverrez plus.

— Je crois que c'est mieux, pour nous tous.

Elle remonta dans sa voiture et démarra.

Rico resta au milieu de la chaussée, perdu. Une jeune femme s'approcha de lui.

— Tenez, dit-elle, en lui glissant une pièce de dix francs dans la main, allez boire quelque chose de chaud.

Et elle courut jusqu'à sa voiture – un 4 x 4 Mitsubishi vert – garée, elle aussi, en double file.

Après le départ du 4 x 4, il ne bougea pas, tellement il était sonné. Il serra la pièce de dix francs au creux de sa main. De plus en plus fort, jusqu'à ce qu'elle le meurtrisse. Puis, violemment, il la balança sur la chaussée.

— Salope ! il cria enfin.

C'est à Sophie qu'il s'adressait. Mais il s'adressait aussi à toutes les Sophie du monde, qui s'habillaient chez Chanel ou Dior, et qui roulaient en Rover, en Xsara, ou en 4 x 4, comme cette connasse avec ses dix balles !

Depuis combien de temps n'avait-il pas ressenti de la colère ? Des années. Les années de la rue. Ces trois ans où il avait appris la résignation. L'indifférence aux autres. Au monde.

Pourquoi en vouloir à cette femme pour son aumône ? Là, au milieu de la chaussée, il ne ressemblait à rien d'autre qu'à ce qu'il était. Un sans-abri.

Un clochard. Et c'était à Sophie qu'il le devait. Et c'était à Sophie qu'il en voulait. À elle seule.

— Salope !

Pour sa froideur. Son mépris.

— Salope !

Comment pouvait-elle oublier, renier leur amour ? Et qu'il était le père de son enfant ? Comment pouvait-elle élever Julien dans l'oubli de lui ?

— Salope, murmura-t-il en se mettant à chialer.

Il fallut plusieurs heures à Rico pour réémerger de cette sombre matinée. Il marcha des heures dans les rues du centre. Il s'y sentait aujourd'hui étranger, alors qu'il y avait vécu des années. La ville, les gens, lui semblaient hostiles.

À cinq heures et demie, il était de nouveau devant le collège. À la même place.

— Je veux l'embrasser, il dit à Sophie, quand elle sortit de la voiture.

Elle ne répondit rien et traversa la rue. Lorsque les enfants apparurent, elle parla à l'oreille de Julien et il vit que, de la tête, elle le désignait. Ils vinrent vers la voiture. Rico s'avança.

— Tu veux embrasser ton père ? elle demanda à Julien.

Il ne répondit rien. Ses yeux ne quittaient pas Rico. Les mêmes yeux que sa mère. Si bleus, et qui avaient su être si doux.

Sophie ouvrit la porte arrière et Julien s'y engouffra, puis Armel, qui était restée immobile derrière eux deux, dévisageant Rico comme s'il était un martien.

— Tu vois, il ne veut pas t'embrasser.

Elle démarra rageusement. Dans la lunette arrière, Rico crut voir le visage de Julien tourné vers lui. Mais, bien sûr, il n'aurait pu en jurer.

5

Dans la cacophonie des douleurs et des larmes.

Comment il se retrouvait maintenant, avec Dédé, à se geler les couilles sous un porche d'immeuble de Neuilly, Rico, à cet instant, n'en avait plus la moindre idée. Le trou noir d'une fin de journée dans lequel gestes et paroles semblaient s'être dissous.

Il regardait Jeannot, Fred et Lulu engloutir les portions de paella comme si c'était leur dernier repas. Il se souvenait de ça, Rico. Et qu'à un moment, Dédé lui avait tendu la bouteille de Valstar en lui redemandant :

— Alors, tu étais où, merde !

Rico avait avalé une longue gorgée de bière, puis il s'était allumé une clope. Il n'était pas remis de sa journée à Rennes. L'indifférence de Julien. Le mépris de Sophie. Un étau qui lui broyait le cœur. Se revoir au milieu de la rue, cette saleté de pièce de dix francs au creux de la main, lui soulevait l'estomac jusqu'à l'envie de vomir.

— Zoné. J'ai zoné… La mort de Titi, il avait ajouté, bêtement, pour se justifier.

— Les enculés ! Je leur ai dit, à la télé, que le mec de la RATP, il l'avait laissé crever, Titi.

— Je sais. Je t'ai vu aux infos.

— Et tu sais quoi ? Ils l'ont remplacé.

— Qui ?

— Cet enfoiré, qu'était là l'autre nuit !

Rico avait regretté d'avoir évoqué la mort de son ami. Il n'était pas venu pour parler de Titi. Juste annoncer qu'il partait. Mais dans sa tête, c'était trop la cacophonie des douleurs et des larmes. Il avait attrapé la Valstar et s'était envoyé une autre longue gorgée de bière.

Jeannot, le premier, avait roté.

— Inch Allah !

Fred et Lulu s'étaient empressés de l'imiter. Un jeu entre eux. Comme péter.

— Viens ! avait proposé Dédé. On va se boire un café aux Tonneliers. Je t'invite.

— Où qu'vous allez ? interrogea Fred.

— Prendre l'air des cimes. On revient.

Il faisait bon, aux Tonneliers. Une chaleur douce, enfumée, propre aux bistrots de quartier, et qui semblait appartenir à une autre époque, à un autre Paris.

— Pauvre Titi. Dire qu'il pourrait encore être là.

— Je crois pas, avait murmuré Rico, plus pour lui-même que pour répondre à Dédé.

— Tu crois pas, c'est ça que t'as dit ?

— Oui... Titi, c'est sûr, il ne voulait plus. Dans sa tête. Tu comprends ? Dans sa tête, il avait décidé que c'était fini.

— Ouais, ouais... Putain, n'empêche qu'il aurait pu crever sur un lit d'hôpital. Un truc propre... Plutôt que là, comme un chien galeux...

— C'est pas ce qu'on est, des chiens galeux ?...

Dédé avait haussé les épaules.

— Titi, avait poursuivit Rico, il est revenu à Ménil-montant pour mourir. C'était sa dernière maison, cette station. Le rendez-vous des copains... Je vais me casser de Paris, Dédé.

— Merde, où tu vas ?

— Dans le Sud. À Marseille.

Rico avait lu de l'étonnement sur le visage de Dédé.

— T'as un plan là-bas ?

— Non… Juste quelques bons souvenirs… De toute façon, je pourrais plus venir ici, ça m'est insupportable.

Dédé avait hoché la tête.

— Tu veux une de mes clopes ?

C'était des Camel.

— Putain, tu fumes luxe.

— Hé ! C'est pas parce qu'on a rien qu'y faut se priver !

Ils avaient rigolé.

Rico ne savait pas comment il se débrouillait, Dédé, dans la rue. S'il faisait la manche, s'il avait un petit job au noir. Ce qui était sûr, c'est que, de toute la bande, il était celui qui faisait le moins clodo de tous. Il portait un manteau noir, qui semblait presque neuf, sur un blouson en cuir noir, lui aussi, comme son velours côtelé. Il en était presque élégant.

De Dédé, Rico savait juste qu'il avait fait cinq ans de Légion, avant de bosser comme cadre commercial dans une imprimerie dont le principal client était le Crédit Lyonnais. Quand la banque commença à avoir des problèmes, l'imprimerie réduisit ses effectifs et il fut l'un des premiers à être viré. Dédé était le seul non syndiqué.

— Tu descends comment ?

— En train. La nuit.

Les TGV, c'était trop d'emmerdes. Ça allait sur des courtes distances telles que Paris-Rennes. Mais sur les longs parcours, c'était souvent grave. Il en avait parlé avec plusieurs routards. Le contrôleur, dès qu'il t'avait repéré, il te faisait descendre au premier arrêt et, généralement, tu étais accueilli par les flics. Souvent même, c'étaient des voyageurs qui te dénonçaient au contrôleur avant même qu'il ne passe vérifier les billets.

— Je t'accompagne un bout, si tu veux. J'ai un vieux pote, à Chalon. On pourra bouffer et dormir chez lui. Moi aussi, j'ai besoin de changer d'air.

L'idée avait plu à Rico. C'était toujours mieux de ne pas voyager seul.

— Ce soir ? Ça te va ? On se retrouve gare de Lyon. Au buffet, en face de l'accueil. On se dégotera un train.

Le sac de Rico était prêt. Sous la bâche, dans sa planque rue de la Roquette. Ce matin, il avait dit au revoir à Hyacinthe et, ce coup-ci, Rico avait tenu à payer les cafés et les croissants. Pour le remercier. Bébert, qui ne perdait jamais rien des conversations, leur avait offert un calva.

— Super ! répondit Dédé. On se prend une bière, pour fêter ça ? Les vacances ! C'est comme qu'on se ferait des vacances, non ?

Ils étaient passés du café à la bière, puis de la bière à la gnôle. Les tournées étaient pour Dédé. La chaleur et l'alcool étaient doucement montés à la tête de Rico. Ça calmait sa faim, et ses peines. Les mots lui étaient alors venus plus facilement, comme lorsqu'il discutait avec Titi. Rico ne savait plus de quoi ils avaient parlé, ni surtout ce qu'il avait bien pu raconter à Dédé. Il se souvenait juste qu'à un moment Dédé avait dit :

— Bon, on y va, alors ?

— OK, avait répondu Rico. Je te suis.

Dehors, il faisait déjà nuit.

Et maintenant, ils étaient sous ce putain de porche d'immeuble, au coin de la contre-allée de l'avenue de Neuilly et de la rue Poincaré, à deux pas du métro Les Sablons. La neige, plus épaisse, commençait à tenir sur le sol. Rico sentait le froid le pénétrer, bien que, à l'exception de ses yeux, aucune partie de sa peau ne soit en prise avec l'air.

Dédé sortit de sa poche la demi-bouteille de rhum qu'il avait achetée en quittant Les Tonneliers, et s'en envoya une rasade.

— Qu'est-ce qu'on fout, Dédé ? Tu peux me dire ?

— On attend, putain ! Je t'ai expliqué. Tiens ! il dit, en lui tendant la bouteille.

Rico avala une gorgée, puis deux, puis trois. Dans son corps, la température remonta de plusieurs degrés.

— Mais on attend quoi, merde !

Une Clio rouge les dépassa lentement et se gara un peu plus loin. Un jeune homme, en parka de ski noire, descendit et courut vers le distributeur de billets de la banque qui faisait le coin de la rue.

— Voilà ce qu'on attendait, fit Dédé. Le pigeon ! Viens !

En trois enjambées, ils furent sur le jeune homme. Rico entendit le déclic d'un cran d'arrêt. Dédé posa la lame sur le cou du jeune homme.

— Surveille la bagnole et la rue, il ordonna à Rico.

Le jeune homme n'avait fait aucun geste.

— Combien tu peux retirer ? Trois mille ?

Il secoua la tête.

— Mille cinq, il balbutia.

— Mille cinq ! Mais c'est minable !

— J'ai pas plus, c'est vrai. Je suis étudiant et…

— Allez, enfile ta carte et demande deux mille.

— Ça marchera pas.

Sa voix tremblait.

— Fais ce que je te dis, merde !

La machine afficha un message, et Dédé gueula :

— Quoi, mille deux cents ! Tu peux retirer que ça ?

— J'ai déjà retiré deux cents et quatre cents. J'ai pas droit à plus de mille huit par semaine.

— Putain ! soupira Dédé. T'entends ça ? Y peut tirer que mille huit cents balles par semaine ! Et ça habite Neuilly, merde !

Le distributeur cracha les billets, que Dédé empocha prestement.

— Bon, la meuf qui est avec toi, elle a une carte, elle aussi ?

— Laissez-la, osa le jeune homme, avec une légère pointe de courage.

— Tu m'as pas compris. Tu vois mon copain qui est là, il parle pas beaucoup, mais il est plutôt du genre furieux. Alors, il va aller chercher ta petite copine, et si personne ne fait d'histoire, tout se passera bien. OK ! Va la chercher ! il gueula à Rico.

Rico obéit, mécaniquement. Il était largué, dépassé. Il se serait bien envoyé une rasade de rhum, mais Dédé avait repris la bouteille.

Il ouvrit la portière de la voiture. La musique, à fond, lui sauta à la gueule. Du rock. Le mec chantait :

Tchao les gars à quand l'enfer
Plus qu'à j'ter les dés en l'air...

Rico lança à la jeune fille :

— Suivez-moi.

Le ton n'était pas celui d'un ordre, plutôt d'une invitation.

— Quoi ?

54

Rico lui attrapa le poignet. Il était chaud et doux. Très fin aussi. Ses doigts en faisaient le tour. Il en eût des frissons. La peau d'une femme. Des images l'assaillirent. Sophie. La blancheur de son corps. Il serra légèrement plus, juste pour que ses doigts soient mieux en contact avec la peau.

> *Toutes les nuits j'compte les jours*
> *Toutes les nuits j'compte les jours*

— Quoi ? répéta la jeune fille, affolée maintenant.
— Venez avec moi. Et c'est pas la peine de gueuler !
Il avait presque trouvé le ton.
— Et prenez votre sac.
Il la tira jusqu'au distributeur.
— Jacques, elle pleurnicha en voyant la lame du couteau de Dédé sur le cou de son copain.
— C'est rien, Camille. Sors ta carte bleue.
— Tu tires le maximum, ordonna Dédé.
— Neuf cents, répondit doucement Camille.
— Putain, on se croirait à La Courneuve !
Le distributeur refusa de sortir neuf cents balles. Il n'avait plus de billets de cent, et ne pouvait délivrer que des multiples de deux cents francs.
— Ramène-la, ordonna Dédé, après avoir ramassé les quatre billets.
Rico reconduisit Camille à la voiture, mais, cette fois-ci, il n'osa pas lui attraper le poignet. Il serra son bras. Il lui ouvrit la portière.
— Bonne soirée, il dit.
Il était sincère. Il la regarda une dernière fois, puis claqua la porte. Quand il se redressa, il s'aperçut qu'il haletait.
Dédé arriva, poussant Jacques. Sa parka noire était maintenant sous le bras de Dédé.

— Maintenant tu files, et pas d'entourloupe, genre vous appelez les flics sur votre putain de portable. J'ai noté ton nom et ton adresse. Je saurai te retrouver, crois-moi.

Jacques enclencha la première, cala, relança le moteur et réussit finalement à démarrer.

— Tiens, cadeau, fit Dédé, en tendant la parka à Rico. Au premier coup d'œil, j'ai vu que c'était la bonne taille pour toi.

— T'es fou, fou complet.

— Fais pas chier, Rico. Allez, on se casse.

— Je vais marcher. Faut que je marche, Dédé.

Sa respiration, sifflante, était hachée et rapide, comme s'il venait de grimper l'Himalaya.

— Oh! Ça va?

— T'inquiète. Dix heures, gare de Lyon.

— J'y serai. On se fera le partage.

Et Dédé disparut dans la bouche du métro.

Rico s'engagea dans la rue devant lui, lentement. Une violente douleur lui labourait le bas du dos, côté droit. Pleurésie, avait diagnostiqué le toubib de Médecins du monde, il y a un mois. Mais Rico n'était pas retourné se faire soigner.

Il étouffait. Il s'arrêta sous un porche, pour attendre que ça passe. Jamais il n'avait fait pareille chose de sa vie. Même dans les pires moments de la rue, l'idée ne lui était jamais venue d'agresser les gens. Ce qui le surprenait, c'est qu'il ne ressentait aucun remords, aucune honte d'avoir dépouillé ces deux petits jeunes. Plus rien ne semblait compter à présent.

Il se demanda ce que Titi aurait pensé de ça. Mais s'il avait été encore vivant, est-ce qu'il aurait suivi Dédé? Non, bien sûr. Non… Quoique, peut-être… Les pensées se bousculaient dans sa tête, comme toujours.

Il repensa à la jeune fille, Camille. Au contact de sa peau. C'est ça qui l'avait vraiment secoué. La dernière femme qu'il avait caressée, c'était Malika. Trois ans. Depuis… Depuis, les femmes refaisaient surface en lui. Le souvenir, vivace, de Léa. Le désir, toujours si fort, de Sophie… Les fantômes de ses amours.

Sa respiration, peu à peu, redevint normale. La douleur dans le dos s'estompait. Les mots de Dédé lui revinrent alors en mémoire :

— La thune, pour voyager, c'est mieux d'en avoir un peu, non ?

Sûr, avait pensé Rico. Surtout qu'en poche, il devait à peine lui rester dans les cinquante balles.

— Ça me plaît pas, ton histoire.

— Putain, Rico, tu m'accompagnes, tu m'attends peinard, et c'est marre. OK ? Et après, on file.

— OK, avait-il fini par dire. OK. Je t'accompagne.

La douceur de la peau de Camille. Rien que pour ce bonheur-là, il avait eu raison de suivre Dédé.

Il réalisa soudain la chaleur de la parka, qu'il tenait serrée contre son ventre. Elle était neuve ou presque, avec, roulé dans le col, une capuche. Il enleva son manteau militaire et l'enfila. Il la ferma jusqu'en haut, déroula la capuche sur sa tête, sans enlever son bonnet. En quelques instants, il sentit son corps se réchauffer. « Génial ! » Si Dédé lui filait la moitié du fric, comme il lui avait proposé, c'était la plus belle journée depuis sa première nuit dans la rue.

6

Une nuit où personne ne se soucie de personne.

Durant le voyage, Rico fit un cauchemar. Il étranglait Sophie. La veille, elle lui avait annoncé sa décision de le quitter. «Une décision mûrement réfléchie.»

Son cauchemar, à Rico, commençait ainsi. Un matin, très tôt. Là, sur le pas de la porte. Il ne pouvait se résoudre à partir, comme ça, sans un mot. Comme si tout avait été dit, une fois pour toutes. Après une courte hésitation, il entrait dans la chambre. Il voulait redire à Sophie cet amour qu'il avait pour elle. Mais aussi lui demander de réfléchir encore, pendant cette semaine. De ne rien hâter. De prendre son temps. L'important, ce n'était pas ce qui s'était passé entre elle et Alain. L'important, c'était eux. Elle, Julien et lui. Cette famille qu'ils formaient. Une si belle famille. Oui, tous ces mots étaient dans la bouche de Rico quand il ouvrit la porte de la chambre.

Sophie dormait paisiblement, un sourire aux lèvres. Elle semblait reposer loin du drame qui était le sien. Cette séparation annoncée. La fin de leur couple. De cette vie qu'il avait voulue, et pour laquelle il avait tout donné.

Assis au bord du lit, il fumait une cigarette en la

regardant dormir. Il aimait bien ça, la regarder dormir. Cela lui arrivait souvent, surtout la nuit, quand les soucis le réveillaient. La même émotion qu'aux premiers jours le gagnait. La même tendresse. Les années de mariage n'y avaient rien changé. Mais, ce matin, la voir dormir ainsi, paisible et souriante, foutait en l'air toutes ses certitudes. D'où lui venait ce sourire ? De quels rêves ?

Alors, il écrasait sa cigarette, puis, rageusement, il secouait Sophie. L'humiliation de se savoir trompé, cocu, avait mué en colère. Il se mit à hurler comme on crache.

— Tu rêvais à lui, hein, salope !

La première chose qu'il vit dans ses yeux, ce fut la peur. Et l'envie de crier. Mais crier, elle ne pouvait pas, Sophie. Les doigts de Rico enserraient sa gorge.

— Lâche-moi, elle implorait dans un souffle.

Il était maintenant à califourchon sur elle. Pesant de tout son poids sur ses hanches. Elle se débattait, rejetant le drap pour mieux le repousser. Il l'étranglait, avec haine et plaisir. La terreur gagnait le regard de Sophie. Ses seins, lourds, merveilleusement blancs, gigotaient de droite à gauche sous sa veste de pyjama. Il eut envie de la lui arracher. D'arracher le drap aussi. Et de jouir violemment de son corps nu. De la baiser à mort.

Rico serrait encore. À en perdre le souffle. Son souffle. C'est lui qu'il étranglait. Plus il étreignait le cou de Sophie, plus il étouffait. S'étouffait. Rico se vit alors comme dans un miroir. Les yeux révulsés, la langue pendante. Mort ou presque. Il apercevait Julien dans un coin du miroir, pleurant et réclamant son petit déjeuner. Mais il serrait toujours. De toutes ses forces. Jusqu'à l'asphyxie.

Sa bouche s'ouvrit toute grande. Appelant l'oxygène.

— Oh! Rico! Ça va pas!

Dédé le secouait.

— Putain, Rico!

Il se sortit de son cauchemar, haletant. Rico – il ne sut pas alors pourquoi – n'aima pas la façon dont Dédé le regarda à cet instant. Ce qu'il vit dans ses yeux. Un cauchemar de lui-même.

— Tiens, bois un coup, lui proposa Dédé en décapsulant une bière.

Ils en avaient acheté un pack de douze à la gare avant de prendre le train.

— Où on est? demanda Rico en s'envoyant une gorgée de bière.

— J'en sais rien, putain! Il avance pas, ce tortillard.

Rico alluma une clope.

— Mauvais rêves, hein! dit Dédé.

Rico hocha la tête. Il n'avait pas envie de parler. Il voulait chasser ces saletés d'images de sa tête.

— On est plein de mauvais rêves, poursuivit Dédé. C'est de vivre comme ça.

— Ouais.

Est-ce que nos mauvais rêves, bien tapis au fond de nos têtes, ou de nos cœurs, nous rattrapaient un jour ou l'autre? Rico se le demanda, sans se répondre vraiment, chaque fois qu'il fit ce cauchemar – ce qui, par chance, lui arriva rarement, car il s'asphyxiait toujours plus, et personne n'était là pour le réveiller comme Dédé, dans le train, ou moi, plus tard, à Marseille. Pourtant, et sur ce point Rico était catégorique, malgré le mal que Sophie lui avait fait, jamais il n'avait eu envie de la tuer. Ni ce soir-là, ni après. D'ailleurs, les choses ne s'étaient pas exactement passées comme dans son cauchemar.

Sophie, cela faisait des mois qu'elle avait pris ses distances avec lui. Leur couple, Rico en avait conscience, battait de l'aile. L'un et l'autre s'étaient enfermés dans un mutisme familial où chaque problème quotidien, même le plus futile, virait à l'affrontement. La plupart du temps, Rico finissait par se ranger à l'avis de Sophie et, tant bien que mal, ils se rabibochaient. Au lit, le plus souvent. Rico, malgré les années, la désirait toujours autant. Il aimait son corps. Un corps généreux, que le temps avait épanoui, et qu'elle entretenait par de longs joggings sur la plage. Dans l'amour, Sophie était tout le contraire de la femme rangée, bourgeoise et un rien collet monté qu'elle se plaisait à être en société. Une merveilleuse amante, si avide de plaisirs que Rico en était chaque fois surpris.

— Ces enfants de Marie, crois-moi, c'est rien que des baiseuses pas possibles! avait argumenté Titi.

Ils étaient sur leur banc, square des Batignolles, sacrément éméchés.

— Plus ça va à l'église, et plus elles aiment ça, forniquer. Le syndrome de Thérèse, que j'appelle ça. Thérèse d'Avila, tu vois qui c'est? Cette foutue sainte, obsédée de l'extase!

Le fou rire avait gagné Rico.

— Tu ris, tu ris... Ben, depuis, le petit Jésus, elles le préfèrent au naturel!... C'est comme les Américaines, tu sais, puritaines et tout et tout... Dès que tu leur as tombé la petite culotte, t'as vue sur l'autre Amérique. Deux, trois fois dans la nuit, c'est, avec elles... Et elles te font de ces choses!...

— Arrête!

— Arrête! il avait crié à Sophie.

Une nouvelle dispute avait éclaté. Parce qu'il s'obstinait à ne pas vouloir engager une femme de ménage.

— Tu n'as rien à faire d'autre.

Elle l'avait regardé avec mépris.

— Je te reconnais bien là.

— Ça veut dire quoi ?

— Ça veut dire ce que j'ai toujours su. Les femmes, pour toi, c'est cuisine, ménage... et plumard.

La mauvaise foi de Sophie était évidente. Cette dispute, comme toutes les autres, n'était plus qu'un prétexte à s'éloigner de lui. À se faire à cette idée que tout était fini. Peut-être – mais Rico se refusa toujours à le croire – Sophie prit-elle du plaisir à être cruelle avec lui durant cette période. Du moins jusqu'à sa liaison avec Alain. « Cet autre amour qui, lui écrivit-elle un jour, m'a rendue sereine. »

— Des conneries ! il avait répondu, en haussant le ton. Tu veux tout, Sophie, tout. Et tout, c'est pas dans mes moyens. Pas maintenant. Merde ! Tu le sais, de combien on est endettés ?

Elle avait souri. De ce sourire étonnant, qui retroussait ses lèvres, comme parfois dans l'amour au plus fort de son plaisir. Un sourire carnassier.

— Je croyais que tu avais décroché un nouveau contrat.

Rico était devenu représentant multicartes en prêt-à-porter. Un métier qu'il n'avait pas vraiment choisi et qui ne l'enchantait pas, mais qu'il exerçait avec opiniâtreté.

— Ce n'est pas encore fait. Et puis même... Si ça marche, je ne sais pas comment je vais faire face à tout ce boulot...

— Sans compter tes chemises à repasser. Parce que pour moi, ça, c'est fini !

Et Sophie avait quitté le salon en claquant la porte. Quand il s'était couché, une fois calmé, Rico n'avait fait aucun geste vers elle. Concéder, il ne pouvait plus.

— Sophie, il avait murmuré.

Cela faisait près d'un mois qu'ils n'avaient plus fait l'amour. Depuis cette dispute. Il avait empoché le nouveau contrat, et, du coup, avait dû reprendre la route chaque semaine. Nantes, Brest, Caen. Invariable itinéraire. Son triangle des Bermudes.

Le corps de Sophie s'était raidi sous sa main.

— Laisse-moi.

— Qu'est-ce qui se passe?

Elle avait allumé la lampe de chevet et s'était redressée dans le lit.

— J'aime un autre homme.

Elle avait ramené ses genoux sous son menton, puis elle avait tourné son visage vers lui. Son visage d'ange, doux et lumineux. Rico ne sut dire si ses yeux exprimèrent alors de la pitié ou de la tristesse.

— J'aime un autre homme, elle avait répété avec douceur. Je ne savais pas encore comment te le dire. Je ne savais même pas comment me le dire. Tout est allé si vite… Mais… Nous… Nous, c'est fini, tu comprends? J'en aime un autre.

— Tu ne m'aimes plus.

Ce n'était pas une question. Juste l'énonciation désespérée d'une réalité.

Rico s'était levé et, sans dire un mot de plus, sans la regarder, il avait quitté la chambre. Dans le salon, il s'était servi un whisky. Pour réfléchir. Images et paroles avaient défilé dans sa tête. Au ralenti. Les gestes qu'elle avait eus. Les mots qu'elle avait dits. Ses hésitations aussi. Leurs silences. Et, parfois, leurs larmes à fleur des yeux.

Whisky après whisky, il avait tenté de se convaincre que rien n'était perdu, que tout était encore possible. Il l'aimait. Et elle, *sa* Sophie, elle l'aimait aussi, quoi qu'elle en dise. Il l'avait senti dans sa façon de lui expliquer les choses, dans cette manière de poser sa main sur la sienne. « Tu es si gentil, je le sais bien… »

Il s'était endormi sur le canapé du salon, la bouteille de whisky à ses pieds, vide. Il s'était réveillé en sursaut, vers les quatre heures du matin. La machine à penser tournait toujours. « J'aime un autre homme. » Alain. Elle n'avait pas prononcé son prénom, mais il *savait* que c'était lui. Le seul célibataire de leur groupe. « Tu ne m'aimes plus. » Elle avait répondu par le silence. Le visage caché par la masse de ses cheveux blonds. Fatigué, la bouche pâteuse, il s'était rendu à l'évidence. Il avait perdu Sophie, pour toujours. Il s'était habillé et il était parti. Il avait roulé comme un dingue. Jusqu'à Nantes.

Voilà ce qui s'était vraiment passé cette nuit-là. Dans le premier bar qu'il trouva ouvert, Rico commença sa journée par un cognac. Au troisième, il sut que sa vie venait de basculer.

Rico gardait le silence. Il buvait sa bière à petites lampées. Dédé lui faisait face. Lui non plus ne parlait pas. Par instants, ils se regardaient, puis leurs regards se perdaient, par-delà la vitre du compartiment, dans le noir d'une nuit où personne ne se souciait d'eux.

Comme prévu, ils s'étaient retrouvés gare de Lyon. À la brasserie, sous le restaurant Le Train bleu. Dédé était installé devant un double express, l'air las. Quand Rico s'était assis en face de lui, il avait fait glisser sur la table la poignée de billets qui lui revenait.

— Ta part, il avait dit.

Et Rico avait eu du plaisir à sentir cet argent dans sa main. Une bonne dizaine de jours, avait-il songé, à ne pas avoir à faire la manche.

Sa part.

Ils ne se dirent rien de ce qui s'était passé quelques heures auparavant. Rico ne voulait pas y penser. Au fond de lui, c'était contre ses principes. On ne volait pas. Même dans les pires moments de la rue, il ne l'avait jamais envisagé. Pourtant, si Dédé lui proposait de remettre ça, un jour ou l'autre, il en était convaincu, il ne dirait pas non. Son état d'esprit avait changé. Avec la mort de Titi, reconnaissait-il, il avait *basculé*.

Dans le hall de la gare, Rico avait été surpris de croiser autant de types qui, comme lui, traînaient, en groupe ou seuls. Aux places habituelles. Débits de tabacs, marchands de journaux, distributeurs de billets... Rico s'était senti loin d'eux. Différent. Sa belle parka le faisait ressembler aux autres gens, à un de ces voyageurs qui allaient et venaient sur les quais.

C'est fou, s'était-il dit, comme il est facile de faire illusion. Une parka neuve, et l'on peut se fondre dans la foule. Ainsi habillé, il n'écorchait plus le regard des autres. Tant qu'on ne regardait pas ses pieds, bien sûr. Les chaussures, c'est ce qui trahissait les gens. Quand il faisait la manche, au bureau de poste, il pouvait distinguer les chômeurs de ceux qui avaient un boulot. D'un seul coup d'œil à leurs pieds.

— Quand je suis monté à Paris faire mes études, lui avait raconté Titi, j'ai vécu un bon mois presque sans le sou. J'avais une chambre de bonne, rue de Luynes, au coin du boulevard Raspail. Le matin, je mettais ma cravate, j'enfilais le veston de mon unique costume et j'allais acheter du pain. La boulangère, tu vois, elle me débitait autant de gentilles banalités qu'à tous ses clients. À cause de mon allure. Elle était à cent lieues d'imaginer qu'une fois chez moi, ma baguette de pain, je la bouffais comme ça, sans rien d'autre.

L'habit fait le moine, quoi qu'on en dise. Si, maintenant, il allait s'asseoir par terre, devant le Relais H, avait pensé Rico, immédiatement on le prendrait pour ce qu'il était : un crève-la-faim. C'était comme ça. Et il retrouverait les mêmes regards sur lui. Pitié, mépris, condescendance, dégoût, peur... Peur surtout. La misère fait peur. Les chômeurs qui entraient au bureau de poste ne le regardaient jamais, ne lui disaient jamais bonjour ni au revoir. La plupart d'entre eux savait que du chômage à la rue, ce n'était qu'une question de temps. Un an, six mois, une semaine... Un jour ou l'autre, quoi qu'il en soit.

Il avait traversé le hall avec l'assurance de celui qui a un train à prendre. Un endroit où aller. Lui, c'était au bout de son errance. Il n'avait plus d'endroit où revenir. Plus rien où raccrocher sa vie. Plus même le regard de Julien. Quand le train démarra, ces pensées le soulagèrent jusqu'au fond de l'âme.

Il eut froid soudain, malgré la parka. Froid au-dedans de lui. Comme souvent, ces derniers mois, cela arrivait à Titi. Même au soleil, sur leur banc du square des Batignolles.

Le train ralentissait.

— On arrive, je crois, bâilla Rico.

Il était deux heures moins cinq du matin. Ils furent les deux seuls voyageurs à descendre en gare de Chalon-sur-Saône.

— Putain de bled ! maugréa Dédé en constatant que la gare et les bistrots autour étaient fermés.

Dehors, il avait neigé abondamment, et le premier bulletin météo informerait les habitants que le thermomètre, cette nuit, était descendu à –12 degrés.

7

Ce qui est vrai un jour peut
ne plus l'être un autre jour.

« Putain de bled » ne cessait de marmonner Dédé.
Il prononçait « bled » avec une intonation traînante,
propre à la Légion étrangère, qui justifiait que cette
localité, vraiment, méritait d'être rayée de la carte.
Chalon-sur-Saône, ce matin-là, ne méritait pas mieux.
Mais, sans doute, Dédé aurait-il pu dire de même de
toutes les villes de France se réveillant couvertes de
neige, sous un ciel gris et froid.

Le Terminus, le premier bar à ouvrir, ne fut pas
des plus accueillants. Le patron, derrière son comptoir, eut pour eux le regard qu'on a pour les chiens
galeux. Ni bonjour ni sourire.

— Oui ? il demanda laconique, sans presque bouger les lèvres.

— Double express-calva, répondit Rico.

— Pareil, dit Dédé. Avec une tartine.

— Ouais, moi aussi une tartine, ajouta Rico.

Les yeux du cafetier allèrent de Rico à Dédé. Rico,
sans le regarder, mit cinquante balles sur le comptoir et le type, tel un automate, retrouva les gestes
habituels du barman.

Sûr, qu'ils avaient une sale tête. À la descente du

train, ils étaient restés sur le quai de la gare, assis sur un banc abrité par un auvent. Rico avait cherché, mais en vain, des cartons pour se protéger de l'air glacial. Le dos calé contre leurs sacs, somnolents, ils avaient fumé clope sur clope en attendant l'ouverture d'un bar.

Maintenant, silencieux, ils avançaient à pas prudents sur le sol glissant de l'avenue du 8-Mai-1945. Chalon, encore engourdie par tant de neige, s'éveillait lentement. Mais, déjà, sur les trottoirs, cette neige était partout piétinée, trouée d'empreintes grisâtres prises dans la glace.

Jo, le copain de Dédé, habitait le quartier de la Thalie, après la zone commerciale, à la sortie nord de la ville. D'assez mauvaise grâce, le patron du Terminus leur avait expliqué comment s'y rendre.

— On aurait dû l'écouter, et prendre le bus, râla Rico.

Ils marchaient depuis une bonne demi-heure, et Rico commençait à être essoufflé. La douleur, au bas de son dos, était revenue, lancinante. Il faudrait, se dit-il, qu'il achète du Doliprane, ça le calmait bien.

— Je pensais pas que c'était aussi loin, lâcha Dédé.

— Trois kilomètres, c'est trois kilomètres.

— Putain de bled! Merde!

Chalon, telle qu'ils la découvraient, était loin de l'idée que Rico s'en était faite. «Une chouette ville, je crois», il avait dit à Dédé dans le train.

Lors d'un séminaire sur les nouvelles stratégies de vente, Rico avait sympathisé avec un type qui travaillait dans cette région. Blandin, il s'appelait. Ou Blondin, il ne savait plus bien.

— Mon secteur, c'est la route des vins! Le pied, t'imagines. Beaune, Puligny-Montrachet, Mercurey, Givry, Ruly… Viens passer un week-end, il lui avait proposé lors d'un autre séminaire. On se fera le circuit complet. Rien que la Maison des vins, à Chalon, ça vaut le déplacement. Elle est unique en Bourgogne.

Rico en avait parlé à Sophie. Mais la Bourgogne, ce n'était pas dans ses destinations de rêve. Même en l'alléchant avec des raviolis de grenouilles aux morilles ou un dos de brochet aux griottes qu'on pouvait déguster au Moulin de Martorey, une auberge que Blandin recommandait vivement. Elle, c'était la montagne en hiver pour le ski, la mer – mais pas la Méditerranée – en été pour la voile. La campagne, elle avait horreur de ça. C'était plouc, où que ce soit. Quant au vin, il lui suffisait de l'avoir dans son verre. D'où qu'il vienne, pourvu qu'il fût bon.

Et Rico avait oublié Chalon-sur-Saône et la route des vins. Comme il oublia, au fil des ans, bien d'autres choses qui lui tenaient à cœur. Avoir un épagneul, apprendre à jouer du saxophone, faire le chemin de Compostelle à pied, visiter Pétra en Jordanie… Il était tout à Sophie. À ses désirs. À son bonheur.

— Ça doit être là, marmonna Dédé, alors qu'ils s'engageaient dans une cité HLM.

Une fois dépassée la Thalie, ils s'étaient perdus à la hauteur de l'échangeur routier de Chalon-Nord et il leur avait fallu demander plusieurs fois leur chemin. Ce qui ne fut pas chose aisée. Sur cet axe, ils étaient pratiquement les seuls piétons et la plupart des commerces étaient encore fermés.

Dans la cité, ils trouvèrent le domicile de Jo facilement. Le dernier bloc d'immeubles en lisière de la campagne. Du béton, mais, comme le fit remarquer Rico à Dédé, ça avait quand même une tout autre gueule qu'en banlieue parisienne.

Monique leur ouvrit la porte, un bébé dans les bras. Jo n'était pas là. Il y a quatre mois, les flics l'avaient embarqué. Pour meurtre.

— Un matin, les gendarmes lui sont tombés dessus, leur raconta Monique. Une chiée, qu'ils étaient ! Comme quoi, Jo, y a deux ans, l'avait été condamné à perpète par… Comment on dit quand on est pas là, pas au procès, quoi ?

— Contumace, répondit Rico.

— Ouais, c'est ça. Par contumace. Condamné à perpète par contumace, pour avoir tué un type dans un squat d'Aubervilliers. Aubervilliers, Jo, l'y a jamais foutu les pieds d'sa vie. Que même y savait pas où qu'c'était.

Rico se rappelait de cette affaire. Ils en avaient parlé, à la télé, un soir où il était chez Abdel à boire des bières.

Le corps de Jean Marceau, dit le Belge – un clochard d'une soixantaine d'années, brave type selon plusieurs témoignages – avait été retrouvé dans un squat d'Aubervilliers. Vingt-cinq côtes cassées. Une baston d'enfer. Coups, strangulation, hémorragie interne. Les policiers avaient arrêté un couple. Rita et Ignacio, deux zonards qui carburaient à dix litres de pinard par jour. « Oui, avaient-ils reconnu, ils avaient participé à la baston. Mais c'est Moustache qui l'avait tué, le Belge. Pour lui piquer sa pension mensuelle. Le Belge, il venait de la recevoir, et c'était trop, tellement il s'en était vanté devant nous. »

Ce genre de choses arrivait très souvent. Une fois sur le trottoir, on perdait tout repère, toute règle morale. La solidarité des miséreux relevait de la naïveté. Rico, comme bien d'autres, l'avait vite appris. Dans la rue, c'était chacun pour soi. La baston, ça pouvait être pour n'importe quoi : un duvet, un coupe-ongles, un peigne, une bouteille de vin, un paquet de clopes, même entamé… Et pour le fric, surtout le jour où tombait le RMI.

Combien de fois, il s'était fait tabasser, Rico, depuis qu'il était dans la galère ? Il ne savait plus. La dernière fois, c'était aux Buttes-Chaumont, un après-midi de printemps. Il dormait sur un banc et il avait senti des mains sur lui. Deux types, des jeunes, fouillaient dans ses poches et son caleçon. Il s'était débattu et les mecs s'étaient mis à le cogner. Ils lui avaient pris toute sa thune. Heureusement, se souvenait Rico, il avait eu le temps de rembourser ses dettes de bistrots. Depuis, quand il était seul, il évitait certains lieux et stations de métro comme Châtelet, Château-Rouge, Pigalle où, il l'avait compris, c'était la dépouille assurée.

— Moustache ? interrogea Dédé. Tu veux dire Moustache le Basque ?

— Ouais, çui-là, répondit Monique en faisant la grimace.

Moustache, Moustache le Basque, Dédé le connaissait. Quand il l'avait rencontré, à Montpellier, il zonait depuis quelques mois avec Félix, un jeunot pas bavard, toujours à se balader avec un ballon de foot. Dédé avait galéré plusieurs semaines avec eux dans les Corbières, au moment des vendanges.

— Un type bizarre, ce Moustache. Plutôt sympa comme ça, mais pas franc. Grande gueule aussi. Pire que moi, ajouta Dédé en riant. Alors, forcément, lui et moi, ça n'a pas collé très longtemps.

Depuis la mort du Belge, avait poursuivi Monique, Moustache restait introuvable. Mais les flics avaient une piste. Une bonne. Une carte d'assuré social retrouvée dans ses affaires au squat d'Aubervilliers. La carte était au nom de Jo.

— Les gendarmes, quand y lui sont tombés dessus, à Jo, y voulaient qu'il leur signe un papier. « Ne fais pas ton mariolle », qu'y lui disaient. « Reconnais

73

les faits. On a la preuve que c'est toi. » Mais Jo, y l'avait rien à reconnaître. À part sa moustache.

— Mais putain, demanda Dédé, comment sa carte de sécu, elle a atterri dans sa poche, à Moustache ?

— Ben, expliqua Monique, un jour, y a six mois, il a débarqué ici, Moustache. Avec Félix derrière lui. Un peu comme vous, ce matin. Y z'avaient plus une thune. On leur a prêté un peu, et donné des fringues propres. Jo y travaillait à cette époque, maçon-coffreur. Il partait tôt et rentrait tard. Félix, y s'était trouvé un petit boulot chez un agriculteur, pas loin derrière, nourri et logé. Mais Moustache, lui, il glandait rien de toute la sainte journée. À Jo, ça a commencé à le gonfler. Un soir, il lui a dit de se casser, à Moustache, que ça suffisait. Ils se sont disputés méchamment.

La suite était simple. Moustache s'était tiré au petit matin, après avoir fait les poches de Jo.

— Ben merde ! s'exclama Dédé. T'imagines, le truc, il dit à Rico.

Rico s'assoupissait lentement. Il faisait doux dans le petit appartement. Il avait l'impression que la chaleur calmait la douleur dans son dos.

— Oh ! Tu dors ?

Rico secoua la tête.

— Voulez une autre bière ? proposa Monique.

— Sans te déranger, répondit Dédé.

— Quel âge il a ? demanda Rico, en désignant le bébé.

— Seize mois. Maeva, elle s'appelle. C'est une fille.

— Je peux la tenir ?

Les mots lui avaient échappé. Mais l'envie de prendre cet enfant dans les bras avait été soudaine. Forte. Une autre vie remontait en lui. Une vie qu'il avait vécue. Une vie perdue.

Surprise d'abord, Monique sourit à Rico.

— Ben ouais, si tu veux.

Rico retrouva les gestes qu'il avait eus à la naissance de Julien. C'est comme de nager, ça ne s'oublie pas, il pensa. Il berça doucement Maeva, dont les yeux se fermaient. Pourquoi, il se demanda, pourquoi ce qui est vrai un jour peut ne plus l'être un autre jour?

Quant ils avaient emménagé dans leur nouvelle maison à Rothéneuf, Julien venait d'avoir deux ans. Entre Sophie et lui, c'était le bonheur, comme à leur premier jour de mariage. Un matin, alors qu'il partait sur Lorient, démarcher une clientèle nouvelle, Rico avait trouvé dans son portefeuille un petit mot de Sophie. « Je suis bien ici. La maison est belle. J'aime bien te sentir là, passer dans le jardin, regarder la mer, écouter les vagues. Julien va y être heureux, non? Et nous aussi, mon amour. Merci de m'avoir offert tout ça, tout ce bonheur. J'ai de la chance. (Toi aussi, non?) Je t'aime. »

Rico n'avait jamais pu se résoudre à jeter ce petit mot. Il le conservait, plié en quatre, avec sa carte d'identité et, bien qu'il le connaisse par cœur, il le relisait quelquefois. Juste pour se convaincre que ces moments avaient vraiment existé. Juste cela, parce qu'aujourd'hui il avait renoncé à comprendre. Et que, comme le disait Titi, il n'y a pas de réponses à toutes les questions. « C'est ça, ce qu'on appelle les mystères de la vie. Rien d'autre. »

— Et t'as des nouvelles de Jo? interrogea Dédé, quand Monique revint avec les bières.

— Ben, c'est avec des hauts et des bas. Il est innocent, alors ça fait rigoler les matons. En prison, qu'ils disent, tout le monde jure qu'il est innocent, surtout les coupables. Et comme Jo il a fait quelques conneries, quand il était jeune…

— Les enculés !

— Vous avez un avocat ? demanda Rico.

Maeva s'était endormie, mais il continuait de la bercer doucement, tout en buvant sa bière.

— Ouais, ouais… Un jeune, commis d'office. Parce que c'est pas avec mon RMI que ça se paye, ces gens-là… Mais il a l'air bien. Il accumule de la paperasse genre bulletins de salaires, feuille de pointage… Ces choses qu'elles prouveraient que tu peux pas dessouder un mec à minuit à Aubervilliers et être à l'embauche à Chalon à cinq heures du matin…

— Et alors ?

— Et alors, rien ! s'énerva Monique. Ça devrait suffire, ce genre de preuve, ben non, ça suffit pas ! Et maintenant, ça fait quatre mois qu'y me l'ont mis au trou, Jo. Et le pire, c'est que l'enfoiré de juge, il l'a toujours pas interrogé, Jo. Y a même pas eu de confrontation avec les deux autres, Rita et Ignacio. Alors que, comme y dit l'avocat, tout repose sur eux, sur leur témoignage.

Rico fut pris d'une violente quinte de toux. Maeva se réveilla et se mit à pleurer. Il la tendit sans un mot à Monique. Il ne pouvait pas parler. Le besoin de cracher lui emplissait la gorge.

— Bronchite, il murmura après avoir craché dans un vieux Kleenex.

Bronchite était le nom qu'il donnait à cette maladie qui lui rongeait les poumons.

8

Juste la vie, l'amour qui déraisonnent sans raison.

Le manque d'alcool réveilla Rico.

Il s'était endormi sur le canapé, épuisé par plusieurs quintes de toux. Plié en deux au-dessus de la cuvette des chiottes, il avait craché plusieurs fois, puis vomi. Des glaires épaisses, jaunâtres. Il était revenu au salon haletant, pâle, les yeux larmoyants de douleur.

— Ça va? s'inquiéta Monique.
— T'aurais pas du Doliprane?
— J'ai de l'aspirine.

Rico fit la grimace. Il ne savait pas pourquoi, quelle différence il pouvait y avoir, mais l'aspirine ne lui procurait aucun soulagement. À l'hôpital, on lui avait donné du Surbronc, pour apaiser sa toux, et du Pulmicort, un inhalateur pour mieux respirer. Ça, c'était efficace. Mais ces médicaments, on ne les délivrait que sur ordonnance. Les pharmaciens, chaque fois, le renvoyaient vers l'hôpital. Et lui, à l'hôpital, il ne voulait plus y aller. S'il y mettait les pieds, sûr que les toubibs ne le laisseraient plus repartir.

— C'est pas grave, dit Rico en se laissant tomber dans le canapé. Vous tracassez pas.

— Si, quand même, répondit Dédé.

— Pas de problème.

Il finit son verre de bière, puis il s'installa le plus confortablement possible dans le canapé. Peu à peu, les voix de Dédé et de Monique s'estompèrent. Monique avait repris son récit, heureuse, sans doute, de pouvoir confier à quelqu'un leur malheur, à Jo et à elle.

— … Perpète, qu'ils l'appellent, les matons. Perpète douche ! Perpète, promenade ! Perpète, cantine !… racontait Monique. Tout pour le pousser à bout, quoi ! Alors, Jo, il a raconté à l'avocat l'histoire avec Moustache… Il l'a pas balancé, Moustache, tu comprends ? Jo, c'est pas son genre, donneuse. Tu le connais, hein… Mais il a défendu sa liberté… Et pis, y a nous, et la petite, quoi. C'est que de juste, non ?…

Le silence régnait dans l'appartement. Dédé, Monique et Maeva n'étaient plus là. Rico s'extirpa du canapé et fila vers la cuisine. À la recherche d'un truc à boire. Il n'y avait plus de bières au frigo. Ni dans le placard. Il commençait à être fébrile. C'était son angoisse quotidienne, ça, de se retrouver sans rien à boire quand le manque se faisait sentir.

Sous l'évier, il finit par dénicher une bouteille de Castelvin, pleine aux trois quarts. Il la déboucha et la renifla. Le vin sentait l'aigre. Il porta le goulot de la bouteille plastique à ses lèvres pour goûter si c'était ou non encore buvable. Ça l'était. Il avala une bonne gorgée. Le liquide glissa en lui comme un ruisseau sale dans un égout. C'était dégueulasse, mais c'était quand même du 11°. Il s'en envoya une autre longue rasade, satisfait.

C'est après le départ de Sophie qu'il avait commencé à picoler. Pour se consoler, pour oublier d'abord. Pour se détruire ensuite. Enfin, il pouvait dire ça aujourd'hui, mais, à cette époque, il ne réfléchissait pas ainsi aux choses. Il ne les analysait pas. Boire lui était devenu nécessaire. Vital. D'un petit whisky ou deux à l'apéro, il était passé à la demi-bouteille le soir. Un verre après l'autre. Il ne pouvait plus aller se coucher sans une bonne dose d'alcool. Titubant, il se traînait alors jusqu'à la chambre, se déshabillait et se laissait tomber sur le lit. Souvent, il se réveillait la nuit. Vers les trois heures du matin. Alors il recommençait, après avoir avalé un ou deux verres d'eau.

En vérité, il s'était mis à boire, méchamment, dès le premier soir où il s'était retrouvé seul. L'alcool, il trouvait, l'aidait à mieux réfléchir. Comprendre, il avait besoin de comprendre comment ils en étaient arrivés là, Sophie et lui. Une obsession. Mais, bien sûr, il n'y avait rien à comprendre. C'était juste la vie. Quelque chose entre deux êtres qui foire un jour. Comme un rendez-vous raté. Juste la vie. L'amour qui déraisonne sans raison. Le bonheur qui bascule dans le drame.

D'un commun accord, Sophie avait déménagé ses affaires une semaine où Rico était en déplacement en Bretagne. Des meubles qui lui venaient de sa famille. La chambre, toute neuve, de Julien. Et puis des objets, des bibelots auxquels elle tenait.

Il lui avait dit : « Emporte ce que tu veux, j'en ai rien à foutre. » Un soir, dans une chambre d'hôtel, il avait imaginé Sophie en train de décrocher du mur une toile de Mariano Otero, un peintre espagnol installé à Rennes depuis des années, et qui exposait régulièrement dans une galerie de Dinard. Ils y étaient allés, un dimanche.

Le Baiser, il s'appelait le tableau. Rico avait aimé la sensualité qui s'en dégageait. Sa tendresse. Cette peinture, il l'avait offerte à Sophie, pour leur anniversaire de mariage. Le cinquième. « J'aime toujours cet instant, comme la première fois, où nos lèvres s'entrouvrent, un peu tremblantes... » Il avait dit ça, après qu'elle l'eut déballé.

— J'en étais sûre ! Oh ! je t'adore.

Les lèvres chaudes de Sophie s'étaient entrouvertes, avec la même émotion. Et il avait eu sa langue humide et dure contre la sienne. Et ses beaux seins blancs, gonflés, désireux de ses mains, de ses caresses. Puis son corps nu, offert, à même le parquet du salon. L'amour, follement. D'un seul et même souffle. Né d'un baiser. *Le Baiser*.

— Je peux l'emporter ? elle avait demandé, presque indifférente.

Il avait répondu oui. C'était un cadeau. Il n'était pas du genre à reprendre ses cadeaux. Et puis, quelle importance ? Ce *Baiser* sans ses baisers n'avait plus aucun sens.

— Et ça je peux ? avait enchaîné Sophie en montrant un vieux fauteuil acheté dans une brocante.

Et ça ? Et ça ? Il avait redit oui, et oui encore. Il n'en avait plus rien à foutre, vraiment.

Quand il était revenu de sa tournée, un mot de Sophie, plutôt gentil, l'attendait sur la table basse du salon. « Ne va pas tout de suite dans la chambre, ni dans celle de Julien, ça va te faire un choc. »

Mais il s'était empressé de faire le tour des pièces. Vides ou à moitié vides. L'écho de ses pas dans la maison. Des bribes de leurs discussions récentes lui revenaient à l'esprit : « Je ne sais comment te dire... Avec Alain, c'est... comme quelque chose d'évident. De simple et d'évident... Où tout est dit. Le bien et le moins bien... Et la vie n'est plus problématique...

La vie est la vie, simplement… » En ouvrant, puis en refermant une à une les portes, il avait senti que la vie n'était plus la vie. Qu'elle s'en allait de lui, *simplement*. Avec le silence, la mort s'installait.

Ce soir-là, il se fit des spaghetti au beurre, qu'il mangea debout. En écoutant de vieilles chansons d'Aznavour.

> *L'amour, c'est comme un jour,*
> *Ça s'en va, ça s'en va l'amour…*

Des chansons à pleurer, pour quand on veut pleurer. Il avait toujours aimé Aznavour pour ça, Rico. Pour ces larmes à fleur de peau.

> *De soleil en ripailles et de lune en chamaille*
> *et de pluie en bataille, l'amour…*

Son assiette à la main, il marcha d'une pièce à l'autre, réouvrant les portes, allumant toutes les lampes. Chaque fois qu'il repassait dans le salon, il s'envoyait un grand verre de vin rouge. Du Saint-Émilion. Un Château-Robin 1997. De sacrées bonnes bouteilles qu'Éric et lui avaient ramenées d'une escapade en célibataires dans le Bordelais.

Rico finit la bouteille puis, se laissant choir dans un fauteuil, il passa au whisky. Aznavour chantait *Mourir d'aimer*. Une compilation de quarante titres. De quoi tenir la soirée. Plus tard, totalement ivre, il se glissa nu dans les draps, et, en chialant, il se branla en pensant à Sophie. Il jouit, la gorge pleine de sanglots. Et les sanglots l'accompagnèrent toute cette nuit-là.

La première semaine, il la passa ainsi. À se remplir d'alcool chaque soir. À se branler aussi. La tête pleine de bribes de phrases de Sophie. « J'ai mal de t'avoir fait mal. J'ai mal de te voir mal... C'est un poids en moi. Je vis avec, mais ça ne me quitte pas... » Alors, il gueulait : conneries ! conneries ! « Je voudrais, un jour prochain, te voir heureux. Je voudrais te revoir sourire... Tu mérites l'amour, la tendresse, le bonheur... »

Conneries ! *Paroles, paroles*, comme le chantait Dalida. Du vent ! Des mots que l'on dit et que l'on oublie dès que l'on se retrouve dans les bras de l'autre. Dans le lit de l'autre, et que son sexe gonflé à bloc pénètre et s'enfonce, là, bien au fond... Sophie en train de se faire baiser par Alain. Des images, impossibles à chasser, qui lui faisaient remplir son verre une nouvelle fois. Une dernière fois, et puis après dodo... Mais, chaque soir, un verre de plus était nécessaire.

Sophie ! criait-il, haletant. Sophie, pleurait-il. Et il se branlait encore. Jusqu'à ce que sa verge, rougie, irritée, lui brûle les doigts.

Il se branlait jusqu'à l'impuissance.

Sophie.

Jusqu'à l'impuissance d'aimer.

Quand la fin du week-end arriva, il constata que personne ne l'avait appelé. Aucun de ses amis. Pas même Éric. Tous, Éric le premier, étaient passés avec armes et bagages dans le camp de Sophie et d'Alain. Rico était le perdant d'un couple, et les couples n'aiment pas les perdants.

Bien plus tard, un midi où ils se retrouvèrent pour parler du divorce, Sophie apprit à Rico que la rencontre entre elle et Alain, qui avait tout déclenché, c'était Annie qui l'avait organisée. Un dimanche, un de ces dimanches où il était à Paris pour un énième stage de force de vente, elle avait invité à déjeuner sa sœur Isa et Claude son mari, et Sophie, et Alain.

— Cela m'a vraiment choquée, tu sais, lui avait précisé Sophie.

Elle était sincère. Et il la croyait.

— Et je l'ai dit à Annie, dans la cuisine.

— Tu en fais des manières, elle avait répondu. Ton bonhomme – Annie le désignait toujours comme ça, Rico, en mettant dans *bonhomme* autant de mépris que les convenances pouvaient supporter –, ton bonhomme, qu'est-ce que tu crois, il doit bien s'offrir de petits tête-à-tête avec une de ses collègues.

— Peut-être. Je ne sais pas.

— Tu sais, les colloques, les stages, tout ça… Et puis, les hommes… Crois-moi, il vaut mieux les garder sous la main, bien au chaud.

Elles avaient ri. Et Annie avait ajouté, complice :

— Je vous place face à face ou côte à côte ?

Annie, sans doute, n'avait pas imaginé que ce repas bouleverserait la vie de Sophie. Ni que cela ruinerait leur couple. Peut-être avait-elle juste envisagé que Sophie et Alain couchent ensemble, et pourquoi pas, qu'ils deviennent amants. Elle détestait tant Rico que cette idée était loin de lui déplaire.

Quand Sophie lui avoua avoir rencontré « un autre homme », Rico sut, immédiatement, qu'il s'agissait d'Alain. Il ne pouvait en être autrement. Il le voyait bien, comment il tournait autour d'elle. Que ce soit lorsqu'ils se retrouvaient chez l'un ou chez l'autre. Ou lors de leurs séjours au ski. Rico, ça l'amusait même de surprendre le regard d'Alain en train de reluquer le cul de Sophie, de s'attarder sur ses jambes quand elle les croisait ou les décroisait. « Oui, elle est belle, mon salaud, il pensait, mais elle est rien que pour moi. »

Rien que pour lui. Il le croyait. Mais rien n'est jamais donné. Rien n'est jamais acquis. Il aurait dû savoir ça, lui, qui, en voiture, écoutait tant de chansons à la radio ! Peut-être, s'il avait été un peu moins sûr de lui, ou un peu plus jaloux, peut-être se serait-il rendu compte que Sophie n'était pas indifférente aux regards d'Alain, à son désir.

Une fois seulement, il s'en était inquiété, Rico.

Alain, qui se targuait d'être bon photographe, les avait tous invités pour leur projeter les diapositives de leur dernier séjour au ski. Le genre de rituel que Rico trouvait particulièrement assommant, et con. Ce jour-là, pourtant, il ne sombra pas dans la somnolence dès les premières images. Sophie, même si elle n'était pas toujours au premier plan, était presque sur toutes les photos.

La dernière diapositive arriva. C'est Sophie qui l'avait faite. Alain était assis le cul dans la neige, les jambes écartées. Entre ses jambes, modelés dans la neige, un sexe dressé et deux belles couilles bien rondes. Alain regardait l'objectif en souriant, la pointe de sa langue légèrement sortie. Tout le monde avait éclaté de rire. Sophie plus que les autres.

— Ça te plairait de lui sucer la queue ? il lui demanda une fois chez eux.

— Tu es vraiment vulgaire. C'est juste une plaisanterie.

— Vulgaire ? Moi, l'idée ne me serait jamais venue de faire ça. Encore moins de me faire photographier par la femme d'un copain.

— Tu es un rabat-joie. Tu vois le mal partout.

Rico haussa légèrement la voix, contrairement à son habitude.

— Je vois ce que je vois. Qu'il te tend son Miko. C'est ça que je vois ! Et je me demande ça, si tu aimerais ?

— Hou… monsieur est jaloux, on dirait, répondit-elle, moqueuse. Avec toi, on ne peut rien faire. Ni s'amuser, ni rire simplement. Il faut toujours que tu ailles chercher… je ne sais quoi… un sens où il n'y en a pas. Annie et Isa étaient là, et oui, on a beaucoup ri. Si tu avais un tant soit peu d'humour, c'est toi qui aurais pu nous faire rire…

— Ça c'est une idée. La prochaine fois, je leur montrerai mon cul !

Sophie partit se coucher, mais sans faire claquer la porte, comme parfois. Quand il vint la rejoindre dans le lit, elle feuilletait un magazine féminin. Un *Spécial minceur*. Il jeta un coup d'œil par-dessus son épaule.

— Ça t'intéresse ?

— Il n'y a que toi qui m'intéresses, il répondit gentiment.

— Ça, je sais, dit-elle en souriant. J'éteins, non ? elle ajouta, alliant le geste à la parole.

— Excuse-moi, pour tout à l'heure, il lui murmura à l'oreille, en se serrant contre elle.

Il n'en pensait pas un mot. Mais il avait envie de la baiser. Juste pour se venger d'Alain. De sa bite à la neige. Des rires qu'il volait à sa femme. De son désir d'elle. Juste pour ça. Et pour se rassurer aussi. Se convaincre qu'il était toujours l'homme de son cœur. Et que sa queue, à lui, était irremplaçable.

— Excuse-moi, il redit, cette fois en glissant sa main sous la veste de son pyjama.

— Il est tard…

— Tard, tu crois ?

Et il colla son sexe durci contre ses fesses nues. Sophie écarta ses cuisses pour qu'il la caresse mieux, comme elle aimait. Mais Rico, d'un mouvement vif, la pénétra violemment.

— Ah ! elle cria. Mais il est énorme.

Il la souleva pour la prendre en levrette. Et, pour

la première fois de sa vie, il fit l'amour à Sophie sans le moindre amour, sans la moindre tendresse. Il la baisait, pour lui. Dominateur. Comme on marque son territoire.

Après le départ de Sophie, Rico se demanda plusieurs fois si, cette nuit-là, puis les nuits qui suivirent, elle rêvait à Alain quand il la baisait.

Il se répondit oui.

— Foutue salope, il dit, en reposant la bouteille sur l'évier.

— Moi, je m'en fous. Je tape le ballon.

Félix observait Rico. Depuis quelques minutes.

9

Tête de lézard, queue de lézard.

Félix fit un grand sourire à Rico. Un sourire timide, et profondément triste. Déroutant.

— Je m'appelle Félix.

Rico, tout à ses pensées, ne l'avait pas entendu entrer, et il avait sursauté en découvrant devant lui ce type longiligne, immobile et silencieux, qui avait comme écouté tout ce qu'il s'était raconté dans la tête.

Ça ne pouvait être que Félix, Rico le savait. Le pote de Jo et de Dédé. À cause du ballon de foot qu'il tenait sous son bras. Mais il avait été surpris quand même, Rico. Il n'avait pas imaginé un instant que Félix puisse toujours être dans les parages. Dédé et Monique n'en avaient pas parlé, du moins avant qu'il ne s'endorme.

Félix, maintenant, sautillait d'un pied sur l'autre, comme s'il avait une grosse envie d'aller pisser.

— T'es entré comment ? demanda Rico.

— Entrer, sortir… C'est pas un problème.

Rico n'arrivait pas à détacher ses yeux de cette tête hirsute qui gigotait devant lui. Et, surtout, de ce tatouage qu'avait Félix au coin de l'œil gauche. Une tête de lézard.

— Tête de lézard, dit Félix.

Il fit passer son ballon du bras gauche au bras droit, puis il ouvrit sa main gauche, paume ouverte tendue vers Rico. La queue du lézard.

— Queue de lézard, rigola Félix.

Ils s'observèrent en silence. Félix cessa de sautiller, puis il déclara, d'un ton monocorde :

— Ils sont allés au supermarché. Monique et Dédé. Faire des courses. Y avait rien dans le frigo.

— Tu en veux ? finit par dire Rico, en tendant la bouteille à Félix.

Il secoua la tête, en grimaçant.

— Moi, je tape le ballon.

Rico hocha la tête, pour dire qu'il comprenait. Puis il s'envoya une nouvelle longue rasade, regarda ce qu'il restait au fond de la bouteille et décida de la finir. S'ils étaient partis au supermarché, ils en ramèneraient du pinard, sûr. Dédé, il n'allait pas oublier.

— Tu habites là ? interrogea Rico en suivant Félix dans le salon.

— Non, il répondit en s'installant dans le canapé. Dans la forêt. J'ai une cabane.

— Tu vis dans une cabane. Par ce temps ?

— Je peux pas dormir dans les maisons. Ça pue, la nuit, les maisons.

Rico ne répondit pas. À nouveau, il était fasciné par cette tête de lézard qui s'échappait du coin de l'œil gauche de Félix. Il se demanda si la queue du lézard bougeait quand Félix clignait des yeux.

— T'as pas remarqué ça ? Que ça pue, la nuit, dans les maisons. Y a comme une odeur, dès qu'on dort. Une odeur de… pu-tré-fac-tion, il dit, en détachant chaque syllabe, comme s'il venait de découvrir le mot.

Rico haussa les épaules. Il n'en savait rien. Vivre dans une maison, il avait oublié. Et ici, dans cet appartement, c'était différent. Comme un entre-deux-mondes. Où il ne resterait pas.

— Moi, ça m'empêche de respirer. Avant, j'y avais pas fait cas...

Félix s'arrêta de parler. Il sourit à Rico, puis se saisissant de la télécommande, il alluma la télé.

— Le mercredi, c'est plein de dessins animés. J'aime ça, les dessins animés. C'est pour ça que j'suis venu.

Il zappa d'une chaîne à l'autre, jusqu'à ce que son attention soit retenue par des images.

— Les Power Rangers ! Ouais, j'adore !

Il se cala dans le canapé, son ballon serré contre la poitrine, et, fasciné, il ne dit plus un mot.

À un moment, dans l'après-midi, Dédé avait raconté à Rico que Félix, personne n'avait jamais su d'où il sortait. Moustache l'avait rencontré un jour au Casa de Toulouse. Un centre d'accueil, de soin et d'aide de l'abbé Pierre. La nuit, il dormait à côté des Algéco qui servaient de dortoirs. Tout le monde le prenait pour un fou. Un soir, pour rigoler, Moustache lui avait proposé de faire la route avec lui. Félix, il s'était scotché à Moustache. Jusqu'à ce qu'il se tire, Moustache, sans crier gare, après son engueulade avec Jo.

À cette époque-là, avait poursuivi Dédé, Félix ne parlait pas. Il ne savait dire que deux phrases : « Je suis seul » et « Moi, je tape le ballon ». Et il les répétait, entêtant. Pour Abdul, l'un des animateurs du Casa, Félix se serait retrouvé à la rue, après un long séjour en hôpital psychiatrique. Avant, il aurait travaillé dans une petite exploitation agricole. Ce qui expliquerait son goût pour la nature.

C'est en tapant le ballon avec lui, un petit quart d'heure chaque jour, que Félix s'était remis à parler. Un peu. Mais sans jamais se livrer.

— Il se souvient de rien, avait précisé Dédé. Rien que des bribes. Qu'il a grandi à la DDASS. Qu'il a eu une femme, un gosse. Et que tout ça, c'était « il y a très longtemps ». Mais depuis quand il est dans la rue, ça reste un mystère. C'est comme s'il n'avait plus aucune notion du temps.

— Et ses tatouages ?

— Il dit que c'est dans la rue, qu'il les a fait faire. Mais où ça, va savoir !… De toute façon, si tu lui poses trop de questions, il te répond toujours qu'il préfère « pas en dire plus »…

— J'aime pas les pubs, lança Félix.

Et il zappa. Puis, se tournant vers Rico, il ajouta, en souriant :

— Un ballon, c'est mieux qu'un chien. C'est plus fidèle. Plus fidèle même qu'une femme. Ta femme, elle est partie aussi ?

Rico fit oui de la tête.

— Moi aussi, je suis seul. Mais ça va maintenant, je tape le ballon, tu vois.

— Ouais, je vois.

Un autre dessin animé captiva Félix, et il sembla oublier la présence de Rico.

Rico se sentit de nouveau fébrile. Le pinard qu'il s'était enfilé n'avait pas eu l'effet escompté. Il restait sur sa soif. Un instant, il envisagea de rejoindre Dédé et Monique au supermarché, mais, de repenser à toute cette neige dehors, au froid, il n'en trouva pas le courage. À quoi bon, il se dit, ils n'allaient plus tarder maintenant.

Arrêter de boire, Rico s'y était essayé un jour. Quelques mois après avoir rencontré Titi. Rico, à cette époque-là – à la fin de sa première année dans la rue –, il s'envoyait dans les quarante canettes par jour. De la Kro ou de la Bavaria, selon ses moyens. Il vivait par tranches de quatre ou cinq heures. Le temps de dormir, puis de réingurgiter sa dose. Et il recommençait trois ou quatre fois, comme ça, dans la journée.

— Laisse tomber la bière, et passe au pinard, lui conseilla alors Titi. Et tu essaies de t'en tenir à quatre ou cinq litres. Cinq litres, moi, c'est ma dose. Tu dépasses pas les cinq. Au-delà, t'es foutu. C'est l'engrenage.

Rico approuvait, bien sûr. De l'alcool et de ses effets, il savait déjà tout. Le manque total de réflexes. La sensation permanente de fourmillement dans les jambes. Les pertes d'équilibre. Déjà, dans les derniers temps où il vivait avec Malika, il n'arrêtait pas de se casser la gueule dans les escaliers. Même la nuit, quand il se levait pour aller pisser, il lui arrivait souvent de tomber.

— Ouais, t'as raison, il répondit à Titi.

Mais il fut incapable de se contrôler. Au contraire. Il s'était bien converti au pinard, au Bienvenu, au Fleurval, mais sans arrêter la bière.

— Combien tu as bu, depuis ce matin ? l'interrogea Titi.

Ils avaient décidé de se faire une virée au Sacré-Cœur, et dans les escaliers de la butte Montmartre, Rico commença à traîner la patte. Fatigué, essoufflé.

— Fais chier, Titi ! Tu te prends pour qui, hein ? Jimmy Criquet ! Lâche-moi la grappe, tu veux !

Rico se laissa tomber sur une marche. Décidé à ne plus bouger. Prêt à crever sur place. De toute façon, il n'avait plus la force de rien. Ses jambes ne le portaient plus.

— C'est ça ! Crève, connard !

Titi monta quelques marches encore, se retourna :

— Je te pisserai dessus, quand tu seras clodo dans le caniveau…

Rico alluma une clope. Il tira deux tafs, nerveusement, puis il se mit à chialer, comme un môme surpris en train de faire une connerie. Titi, sans qu'il s'en aperçoive, était redescendu. Il s'assit à côté de lui.

— Putain, va pas chialer !

— Je vais arrêter, Titi. Arrêter de boire. Demain.

Titi tenta alors de lui expliquer qu'il ne pouvait pas faire ça tout seul. Une assistance médicale était nécessaire. Le mieux, c'était l'hôpital. Il pouvait l'accompagner, demain.

Mais, bien sûr, Rico ne l'écouta pas. Il s'était dit qu'il y arriverait. Et seul, comme un grand. Juste pour se prouver qu'il était encore capable de maîtriser sa vie. Tout le lendemain, et les jours qui suivirent, il évita de se pointer dans les lieux où il pouvait rencontrer Titi.

Trois jours, il avait tenu. Des journées d'enfer. À devenir dingue. Au second jour, il se mit à transpirer, puis à trembler. Alors, il s'envoya des litres de flotte. Il avait entendu dire ça, que l'alcool déshydratait et qu'il fallait boire beaucoup d'eau.

C'est le midi du troisième jour que « l'accident » arriva. Il remontait la rue Alexandre-Dumas. Ses mains se crispèrent brusquement. Impossible de desserrer les doigts. Puis tout son corps se tétanisa. Sa vue se brouilla. Ses jambes fléchirent. Et il s'écroula. Une femme cria : « Mon Dieu ! », il se souvenait de ça. Et du klaxon strident d'une bagnole, parce que son corps venait de rouler sur la chaussée.

Quand il revint à lui, il était à l'hôpital. Les toubibs lui passèrent un savon. En des termes proches de ceux de Titi. Vouloir arrêter de boire était louable. Mais c'était une chose sérieuse. Il fallait de l'aide. Un suivi. « Surtout avec un foie cirrhotique comme le vôtre », lui dit le médecin. Il expliqua à Rico que les carences en vitamine B de sa nourriture augmentaient la toxicité de l'alcool. Il fallait le revitaminer, par injection. Dix injections par mois, pendant deux mois.

Rico, durant les cinq jours qu'il passa à l'hôpital, retrouva le moral. Nourri, logé, soigné. Tout redevenait simple. La vie. L'avenir. Une fois guéri, il pourrait repartir d'un bon pied. Et se ressaisir, enfin.

Se ressaisir. Il mastiquait l'expression comme une potion magique. Il la ressortait aux infirmières, quand elles prenaient le temps de l'écouter. « Décrocher un vrai boulot, tout de suite, faut pas rêver, hein. Mais un petit job, c'est possible, non ? Ça ne manque pas, les petits jobs, pas vrai ? Coursier, livreur, laveur de vitres… Juste pour me ressaisir. »

La première semaine, il ne rata aucune injection. Un jour sur deux. Puis ses visites s'espacèrent. Un matin, il n'y retourna plus. Survivre dans la rue bouffait toute son énergie. Le temps qu'il passait à l'hôpital, le temps qu'il lui fallait pour y aller, pour revenir, c'était du temps perdu pour faire la manche. Avec quarante ou cinquante francs en poche le soir, la vie redevenait dure.

— Pourquoi ils nous filent pas un peu de fric, pendant le traitement ?

— C'est l'hôpital, lui répondit Titi. L'hôpital, pas la charité.

Rico, ça ne le fit pas rire.

Avec l'aide de Titi, il négocia sa relation à l'alcool. Il buvait, mais raisonnablement. Pour ne jamais être en manque. Et, conseil de Titi, il s'astreignait à toujours acheter son pinard à la même épicerie, à consommer ses bières dans le même bar.

— Des repères, il lui avait dit. À force de trop voir la même gueule du mec dans la journée, tu sauras que tu dépasses les bornes.

Rico passa ainsi à quatre litres de pinard, et dix bières. Un an, cela dura. Mais, insensiblement, il dérogea à cette conduite. Il s'autorisa des « extras ». Des alcools forts. Vodka, whisky. D'abord la nuit, puis en fin de journée. Surtout ces derniers mois. Et la mort de Titi n'arrangeait rien.

Il sentit la tête de lézard sur lui. Félix l'observait. Le même regard que tout à l'heure dans la cuisine. Rico constata que ses mains étaient moites. Machinalement, il les essuya sur son jeans.

— Tu veux que je te trouve du vin ? demanda Félix.

— Tu sais où ?

— Le voisin. Un retraité. Il a toujours des provisions. Il me connaît. Je vais te chiner une bouteille ?

Rico tendit cinquante balles à Félix, et celui-ci, sans lâcher son ballon, partit chez le voisin. Il ramena une bouteille de Valombré. La gamme supérieure au Castelvin. Dans une bouteille en verre.

— Tiens, dit Félix en lui rendant la monnaie. Il te l'a fait à quinze balles. C'est cher, mais c'est un pauvre vieux, on peut pas lui reprocher. Et il est toujours là, au cas où…

Les mains de Rico tremblaient, en décapsulant la bouteille. Félix s'en empara et lui remplit un verre. Rico le but lentement, puis il s'en servit un autre, mais qu'il ne toucha pas. Maintenant qu'il avait devant lui un litre de vin, il était rassuré.

— Moi, c'est l'odeur, dit Félix. Je supporte pas. Ni le vin ni la bière, ni rien.

— Tu n'as jamais bu ?

— Avant je crois. Comme tout le monde. Mais…
maintenant…

— Tu tapes le ballon, c'est ça.

— Ouais. C'est important. On ira faire quelques
passes tout à l'heure. Tu verras, je suis bon.

— Peut-être.

— Oui, après. Quand y seront revenus. Y a rien
qui presse, pas vrai ?

Rico sentit naître une sympathie pour Félix. Il
avait l'air d'un adolescent. Dans sa manière de bouger, de parler. Une grande fragilité et, en même
temps, une grande assurance. Ce qui avait surpris
Rico, tout à l'heure, dans la cuisine, c'est cette
manière que Félix avait de regarder. À se demander
où il était, et, peut-être bien, qui il était. La tête de
lézard, sans nul doute, accentuait ce sentiment.

Qu'est-ce qui se passerait, se demanda Rico, si on
tentait de lui enlever son ballon ? Deviendrait-il violent ? Ou ne dirait-il rien, et se laisserait-il mourir
tout seul dans un coin ? Mais à quoi bon savoir. Ça
ne changerait rien à ce qu'était Félix.

— Et il y a quoi, à la télé ?

— Je sais pas, répondit Félix, ravi de cette compli-
cité. On zappe ?

Un vrai gosse, se redit Rico. Il avala une gorgée de
vin, se cala confortablement dans le canapé. Il sentit la nuque de Félix s'appuyer sur son épaule. La tête
de lézard tournée vers lui. Apaisante. Tout allait
bien, maintenant. Un épisode de l'inspecteur Gadget
commençait.

— Pile poil ! s'écria Félix. C'est la belle vie, non ?

De vie, pensa Rico, il n'y en avait plus d'autre.

10

Des instants de rien, volés au temps qui passe.

Cette nuit-là, Rico dormit sur le canapé, et il dormit mal. Il ne cessa de se tourner et de se retourner, à la recherche d'une position confortable qui lui aurait permis de trouver le sommeil.

Derrière la cloison du salon, Maeva gémissait parfois, et il entendait Monique lui murmurer des « chut, chut » apaisants. À un moment, elle se mit à pleurer et Monique se leva. Avec la petite au bras, elle sortit de la chambre, traversa le salon et partit dans la cuisine.

— Chuut, chut… Là, mon petit chat, là, là… C'est fini… Viens… Chuuut…

Depuis l'arrestation de Jo, se dit Rico, Monique devait prendre Maeva dans son lit, pour dormir. Une présence. Une chaleur. Aussi réconfortantes pour l'une comme pour l'autre. Mais, cette nuit, dans le lit, Dédé avait pris sa place, à Maeva. La place de son père. Et, sans doute, elle devait en souffrir, la gamine.

Dans la soirée – ils en étaient au sixième ou septième Ricard, ils ne comptaient pas – Dédé s'était penché vers Rico et lui avait murmuré :

— Elle est baisable, non ?

D'un mouvement de la tête, il avait indiqué la cuisine où Monique préparait des spaghetti bolognaise. Ce n'était pas une question. Juste la manière la plus simple d'annoncer à Rico, qu'elle et lui, cette nuit, coucheraient ensemble. Et qu'il devait comprendre, Rico. Pouvoir tirer un coup était une occasion à ne pas laisser passer.

Il pouvait comprendre, oui. Tirer son coup, à Rico, ça ne lui était arrivé que deux fois depuis qu'il était dans la rue. Avec Monika, une petite Allemande qui zonait vers Edgar-Quinet. Il lui avait payé un demi et un sandwich, au Café d'Odessa, puis il l'avait baisée dans une sanisette. Avec une pute ensuite, rue du Caire, pour fêter sa première année à la cloche. Trois cents balles, la passe. Une fortune.

— Tu entres, tu sors, et c'est fini, avait dit Dédé, un soir que Rico était avec la bande, à mater les femmes dans le métro. Et ton fric, tu le regrettes toujours. Hein, Titi ?

— Mes yeux, c'est plus économique que ma bite ! Je me dis ça. Puis moi, pour me la mettre droite, m'en faudrait une... genre Claudia Schiffer !

— Vise cel'là ! avait lancé Fred.

Une petite brune, aux fesses trop grosses et comprimées dans son jeans, venait de passer devant eux.

— C'est qu'un boudin, ducon ! avait répliqué Lulu.

— Boudin, tu parles ! Si j'pouvais m'la niquer...

— Et toi, tu fais comment ? avait demandé Rico à Dédé.

— Si j'en lève une, je vais à l'hôtel. Baiser, j'aime bien dans un lit.

Titi, qui commençait à être saoul, avait fredonné :

... rentrer chez soi, le cœur en déroute
et la bite sous le bras...

Rico avait haussé les épaules. Baisable, Monique ? Pourquoi pas. Même si l'éventualité d'étreindre son corps était loin de le faire bander. Rien en elle n'incitait au désir. Elle avait le corps flasque, fatigué, prématurément vieilli, des femmes à qui la vie n'a pas fait de cadeau. Chômeuses ou smicardes, divorcées ou battues... Des femmes qu'il avait eu tout son temps de voir défiler au bureau de poste de la rue des Boulets. Même celles qui faisaient l'effort de maquiller leurs cernes et leurs rides, il les reconnaissait au premier coup d'œil. À leur manière lasse de se déplacer. À leurs gestes, hésitants, qui trahissaient l'usage quotidien du Tranxène, du Lexomil.

Baisables, elles l'étaient toutes, ces femmes. Comme Monique. Mais l'espoir de trouver un homme pour ça, s'amenuisait chaque jour un peu plus. Tout autant que de trouver un boulot, ou un job mieux payé. Alors, elles se raccrochaient à des bouées de secours, même crevées. À leur gamin. À la gentillesse d'un employé de l'ANPE. Au clin d'œil vicelard de leur chef de service. Ou même, pourquoi pas, au bonjour d'un traîne-misère à l'entrée d'un bureau de poste. Jusqu'à ce qu'une occasion se présente. Un homme, n'importe lequel. Des instants gagnés contre la solitude. Contre la tristesse des nuits. Volés au temps qui passe. Des instants de rien.

— C'est la femme de ton pote, répondit simplement Rico.

— Ouais... Mais ce con de Jo, tu vois, on sait pas jusqu'à quand il en a. Peut-être jusqu'à perpète, comme ils disent. Parce qu'avec leur putain de justice... Et elle, il ajouta en souriant, ben, depuis quatre mois, elle a rien à se mettre sous la dent !

— Tu crois pas que Félix... Que Félix et elle...

— Elle me l'aurait dit, Monique.

Rico n'avait pas insisté. Quelque chose lui avait échappé dans cette journée, il venait de le comprendre.

Dédé et Monique étaient revenus un peu après midi de leur virée au supermarché.

— Putain de bled! avait lancé Dédé en entrant. Trouver un rade ouvert dans ce pays, je te dis pas, c'est toute une histoire!

Dédé et Monique avaient bu quelques bières avant de rentrer. Juste pour se redonner le courage d'affronter le froid.

— On est mieux ici, avait plaisanté Monique en déballant les courses.

Jambon, saucisson, fromage pour midi. Pâtes, viande hachée et sauce tomate pour le soir. Et une bouteille de Ricard, un pack de douze bières et six bouteilles de vin, qu'ils avaient coincés dans la poussette de Maeva.

— J'ai pris du bon, avait clamé Dédé, en exhibant une bouteille. Du Corbières.

Domaine du Capitoul, disait l'étiquette. Ça sentait bon le Sud. Mais le vin était sans commune mesure avec ceux d'ici. De la côte chalonnaise. De la côte de Beaune. Les Mercurey, Rully, Pommard, Volnay ou Corton. Ces vins dont lui avait parlé son pote de boulot, Blandin.

Dans cette nuit d'insomnie, Rico repensa à ce voyage en Bourgogne auquel il avait renoncé. À tout ce qu'il n'avait pas fait, dans sa vie. À tout ce qu'il n'avait pas vécu. Tout ce qui lui était maintenant inaccessible. Tapi dans le canapé, une grosse couverture sur lui, il était comme les vieux sur leur lit de mort, à dresser le bilan de sa vie.

L'image de sa mère mourante, à l'hôpital, s'imposa à lui. Le souvenir de ses yeux, pâles et larmoyants.

Un regard qui concédait enfin cette erreur qui avait consisté à tout accepter, à tout subir, à n'être, toujours – dans ses goûts, ses opinions, sa manière même de s'habiller –, que l'ombre de son mari. Raymond. Ce père qui, six mois à peine après l'enterrement, se remariait avec une jeune cousine de sa mère. Marie-Laure.

— Ben quoi, se justifia-t-il. Je suis encore jeune.

— Ce n'est pas ça que je te reproche, tu le sais bien.

— Si ta mère n'avait pas été malade, Marie-Laure et moi... Ça fait plus de cinq ans que ça dure, notre histoire... Je l'aime, tu peux comprendre ça ?

Rico ne répondit pas. Marie-Laure était sa dernière conquête, mais sans doute pas la première. Les larmes de sa mère, certains soirs où Raymond était absent, restaient gravées dans sa mémoire.

Le silence de Rico embarrassa son père. Il soupira, puis reprit :

— Mais je n'ai rien à me reprocher. Rien. Ta mère, je l'ai accompagnée jusqu'au bout, fidèlement.

— Et la nuit, tu t'envoyais Marie-Laure ! Aussi fidèlement. C'est ça ?

— Tu n'as pas le droit de me parler comme ça !

Tout ce que Rico avait sur le cœur, depuis des années, lui remontait à la gorge. Son égoïsme. Son assurance. Et sa manière de régenter la vie des autres. De décider ce qui était bien pour lui, mal pour eux.

— Elle t'a tout donné, maman. Elle t'a toujours tout donné. Pour que tu réussisses. Toi. Toi ! Pour que tu gravisses les putain d'échelons de ta hiérarchie... Tu ne lui as laissé aucune chance... pour être... Pour être elle-même.

— Elle-même..., répéta Raymond, en secouant la tête avec lassitude. Elle n'avait que des rêves de romans-photos dans la tête. Ces conneries qu'elle lisait. *Bonne soirée, Confidences*... Je vais te dire, et même si ça te choque tant pis, ta mère, je ne l'ai supportée qu'à cause de toi... Je...

— Allez, dis-le ! Tu t'es sacrifié pour moi, pas vrai ?

Pendant son service militaire, de Djibouti, Rico lui avait envoyé une lettre, à Raymond. Pour lui dire qu'il n'était qu'un sale égoïste. « C'est pour vous que je me crève. » Il avait toujours ces mots-là à la bouche. « Pour vous. » Mais jamais il ne l'avait entendu dire : « Je vous aime. » Jamais il ne lui avait dit : « Je t'aime. »

— Va te faire foutre ! avait crié Rico.

Ils ne s'étaient pas revus durant des années. Ni écrit. Ni téléphoné. Juste une carte, pour lui annoncer la naissance de Julien, et c'est Sophie qui s'en était chargée. Même quand il avait commencé à dégringoler, Rico n'avait pas fait appel à lui. Trop de dégoût encore pour cet homme, et trop honte de lui-même. Il ne s'était résigné à venir à Saint-Brieuc qu'après six mois d'errance et d'humiliations dans la rue. Son père, l'ultime recours.

Il était allé l'attendre à la sortie du bureau. L'homme qui vint vers lui, d'un pas pressé, lui sembla un étranger. Ou l'inverse. Car en vérité, cet homme était toujours son père, mais Rico n'était plus son fils. Au lieu de l'embrasser, son père lui tendit la main et Rico se laissa surprendre à la serrer, comme à n'importe qui.

— Pour ce que tu m'as demandé au téléphone, ce n'est pas possible, commença Raymond.

Ils étaient attablés à la Taverne du Chapeau-Rouge, près de la cathédrale.

— Je n'ai pas cinquante mille francs devant moi, et je ne peux pas emprunter. Marie-Laure et moi, nous venons d'acheter une maison à Auray. Une vieille maison de pêcheurs, et il y a des travaux…

Rico repensa à la tombe de sa mère, qu'il avait trouvée abandonnée, sans fleurs. Il s'était rendu au cimetière avant le rendez-vous avec son père. Ça lui avait serré le cœur cette tombe grise, sans rien dessus, que cette plaque : « À mon épouse adorée… À ma mère chérie… ». Ça lui avait paru encore plus sordide que la mort. La souffrance et la mort. La tristesse et la mort. Avec les quelques sous qui lui restaient en poche, Rico était reparti en ville acheter un bouquet de marguerites.

— Je suis passé au cimetière, il lança méchamment.

La colère montait en lui. Et ses vieilles rancœurs.

— Je n'ai pas eu le temps de m'en occuper, répondit son père.

Ils se regardèrent. Se défiant.

— Et qu'est-ce que tu vas faire ? reprit Raymond, en finissant son demi.

— Ça t'intéresse vraiment de le savoir ? murmura Rico en se levant.

Son père ne le retint pas. Il ne lui proposa pas de passer la soirée avec eux, à la maison. De rester dormir, une nuit. Quelques jours. Ils ne se serrèrent même pas la main.

Chacun sa vie, marmonna Rico en allumant une clope. Et, tout en fumant, il se demanda si, dans le fond, justement, la vie ce n'était pas ça : cette capacité de chacun à défendre son bout de gras, pour survivre au milieu de toute cette connerie humaine… Peut-être bien que son père avait eu raison. Peut-être bien que Sophie avait eu raison. Il en était la preuve, non ? Il avait plongé, et, pour eux, tout continuait. La vie. L'amour. Le bonheur.

Non, il se dit en repoussant la couverture, ça ne pouvait pas être ça. Mais quoi alors ? Où est-ce qu'il s'était planté dans la vie ? Lui, mais aussi Dédé, Monique, Jo. Et Félix. Et des types comme Titi, intelligent et tout, et qui avait lu des tas de livres. Si des types comme Titi plongeaient, c'est que, quelque part, quelque chose ne tournait plus rond. Mais quoi, bordel ?

Il se souvint d'une chanson qu'aimait fredonner Titi. Une vieille chanson dont il ne se rappelait ni le titre ni le nom de l'interprète :

…C'est du toc, du bidon, de l'esbroufe,
du trompe-l'œil, du clinquant, du faux-vrai,
de la came à balourd, de la mousse,
pour finir c'est l'amour qui fout le camp…

L'amour qui fout le camp. Partout. De partout. C'était ça. Entre un mari et une femme. Un père et son fils. Un frère et une sœur. Entre deux amis… Et des portes qui se ferment. Jusqu'à la dernière, un jour. La dernière porte avant l'enfer.

L'enfer, la rue. La misère.

Combien ils étaient, comme lui, à errer dans les rues ? Sur les routes, en France ? Plus personne ne comptait. On disait des centaines. On disait des milliers. On ne comptait que les morts, et uniquement en hiver.

— Peut-être bien que je vais rester un moment ici, lui avait confié Dédé. Avec elle.

— Ouais… Moi, je vais filer. Demain, je pense. Je vais continuer. Vers Marseille.

— Y a pas le feu, ho !

— Je sais.

Ils s'étaient resservis une tournée de Ricard, et

Dédé, comme s'il avait instinctivement retrouvé les gestes des amoureux, s'était levé pour apporter son verre à Monique, dans la cuisine. Rico les avait entendus trinquer, s'embrasser, et rire.

Quand il était revenu, Dédé, toujours sur le ton de la confidence, lui avait dit :

— Tu sais, je t'ai bien écouté, l'autre soir. Il faut que tu te la sortes du crâne, cette femme. Cette Sophie.

— Pourquoi tu me racontes ça ?

— Parce qu'elle t'a bouffé le cœur, cette salope. Et maintenant, elle te ronge la tête. Elle le mérite pas, c'est ça que je pense.

Rico fut étonné d'entendre Dédé parler ainsi.

— Elle mérite, je vais te dire... Elle mérite rien que de se faire enculer, par n'importe qui, au coin d'une rue.

Rico avait souri à cette éventualité.

— Ça changera quoi ?

Dédé avait haussé les épaules.

— Ben, j'en sais rien, moi. C'est toi qui devrais savoir.

— Elles sont cuites, les pâtes ! avait crié Monique de la cuisine.

Puis elle les avait rejoints dans le salon, son verre à la main.

— Et il est où, Félix ?

— Il était là, tout à l'heure, répondit Dédé. Tu l'as vu partir ? il demanda à Rico.

Rico ne répondit pas. Il se rappela ce que Félix lui avait dit le matin même : « Entrer, sortir, c'est pas un problème. » Félix était discret. Silencieux. Une ombre. Ou peut-être même un fantôme. Leur fantôme à eux tous.

La cigarette de Rico était finie. Il l'écrasa, puis il se servit un verre de vin. Il le remplit à ras bord, sans trembler. Et il le vida. Avec application. Les yeux fermés. Sophie était nue devant lui. Elle dansait, en se trémoussant. Les reins cambrés. Son beau cul tendu vers lui. Il eut vraiment envie de l'étrangler, comme dans son cauchemar.

11

Du soleil, du soleil… mais aussi des regrets.

Dehors, il faisait encore nuit. Dans la cuisine, Rico s'envoya deux grands verres d'eau, puis il mit en route un café. Il attrapa la bouteille de Ricard et remplit le verre jusqu'à la mi-hauteur. Il l'avala, comme ça, sec. Le goût d'anis le fit frissonner. Il grimaça, puis se resservit une autre dose, plus petite, qu'il but après avoir allumé une cigarette.

Il ne se rendormirait plus, maintenant. En vérité, il ne savait pas s'il avait dormi, ou seulement sommeillé. Mais il ne se sentait pas fatigué. Il n'avait plus eu de quinte de toux, du moins pas aussi violentes que le matin, et sa douleur dans le dos semblait s'être estompée. « C'est l'air de la campagne », avait dit Félix, quand ils étaient descendus sur le parking dans l'après-midi. « Les villes, c'est la mort. »

Dans la neige, ils avaient échangé des balles. Félix était passé maître dans l'art de jongler avec un ballon. Avec les pieds, les genoux, la poitrine et la tête. Rico, lui, avait redécouvert ce simple plaisir. Un plaisir d'enfant. Taper dans une boîte de conserve. Dribbler avec un gros caillou. Shooter dans un vrai ballon. Encore une chose à laquelle il avait renoncé, le foot. Son père n'avait jamais voulu qu'il y joue. Même pas dans l'équipe du lycée. C'était trop populaire, et cela ne pouvait conduire qu'à de mauvaises fréquentations. Du coup, il n'avait jamais fait de sport. Pour son père, tous les sports transpiraient trop de virilité malsaine. À la place, il l'avait inscrit chez les Scouts de France. Les enfants y étaient de familles fréquentables, et on enseignait là les vraies règles de la vie communautaire. Rico fut surtout initié, dès les premiers camps de vacances, aux plaisirs interdits. Les attouchements timides. Les baisers furtifs. La masturbation. Son dégoût de la religion venait de là.

— J'suis bon ! Hein ! ne cessait de répéter Félix, tout en sautillant d'un pied sur l'autre.

Sa joie était celle d'un gamin.

— T'as joué au foot ? Dans une équipe ?

— Amateur.

— T'as joué comme amateur ?

— Amateur. C'est ça que je suis. Je regarde les matches à la télé.

Les discussions avec Félix étaient, non pas impossibles, mais forcément décousues. Souvent, au bout de deux ou trois phrases – et comme le lui avait rapporté Dédé –, il y mettait un terme par un « J'préfère pas en dire plus. »

— Avant, j'avais une Vespa. Une vraie. Avec ma femme, un jour, on est parti avec. Pour faire le tour de France.

— C'était bien ?

— Elle aimait pas trop ça, la Vespa. Ni le camping. Alors, tu vois, j'préfère pas en dire plus.

— Ouais, je comprends.

— Et toi ?

— Moi, j'ai jamais eu de Vespa !

Félix avait éclaté de rire. Il semblait heureux.

— Allez, vas-y! Vas-y! Shoote! il avait gueulé après avoir relancé le ballon.

Puis Félix avait tenu à lui montrer sa cabane.

Ils avaient marché un bon quart d'heure, en longeant les champs enneigés. Sur le chemin, les seules traces de pas étaient celles qu'avait laissées Félix en venant le matin. Plusieurs fois, il s'était tourné vers Rico pour s'assurer qu'il allait bien. Et chaque fois, Rico avait cru voir sourire la tête de lézard au coin de l'œil de Félix.

Sa cabane, c'était un abri de jardin. À la lisière d'un bosquet.

— C'est bien, non?

À l'intérieur, un lit de camp et un gros duvet. Sur une caisse, un Camping-gaz, une cafetière italienne et un gobelet en fer. Un jerrycan d'eau dans un coin. Et, punaisée sur une paroi, une photo de Sophie Marceau, les seins nus.

— C'est ma femme, avait dit Félix avec une pointe d'admiration. Enfin, pas elle…, il avait précisé, en riant. Ma femme, elle voulait y ressembler. Depuis le lycée…

Il avait attendu une question de Rico. Mais Rico avait juste affirmé :

— Elle a de beaux seins.

Puis, légèrement moqueur, il avait poursuivi :

— Mais tu préfères pas en dire plus, je pense.

— C'est ça, avait souri Félix. Vaut mieux pas.

L'agriculteur qui l'employait, avait ensuite expliqué Félix, était un jeune. Comme lui. Qui avait galéré avant de pouvoir s'installer ici.

— Norbert, il s'appelle. Il a fait la route pendant des années… À moto. Une vieille. Il l'a toujours. Il m'la prête, des fois… mais rien que pour rouler dans la campagne.

La ferme était à quelques minutes de la cabane. Une petite ferme.

— Eh! tu vas pas me croire, sa femme, Anne, il l'a rencontrée aux Restos du Cœur! Bénévole, elle était… Elle est mignonne, Anne, il avait ajouté, pensif. Enfin, c'est pas Sophie Marceau, mais…

— Et ça marche, son exploitation?

— Norbert, il m'a dit qu'il avait cinq cent mille balles de dettes sur le dos. C'est fou, non? Le tracteur, la camionnette… Moi, ça m'ferait peur. Pas toi?

Rico avait repensé aux emprunts qu'il avait faits. À ce jour où il avait signé l'acte d'achat de leur maison de Rothéneuf. Un million et demi. Leurs économies y étaient passées. Et trente ans de crédit. Tout cela qui était parti en fumée. Qui n'était plus que cendres. Perdu, à jamais. Un rêve mort.

— S'ils sont heureux, il avait répondu.

Félix avait approuvé de la tête.

— Travailler dur, ça laisse pas le temps de savoir, je crois. Mais ils sont gentils…

Le regard de Félix s'était alors perdu sur la campagne enneigée. La tête de lézard lorgnant vers la ferme. Vers ce bonheur simple, et possible. Deux êtres qui s'aiment. De la cheminée de la vieille bâtisse, la fumée s'élevait, comme dans les dessins d'enfants. Aimer, s'aimer, était la seule vraie mise.

— T'as pas froid? lui avait demandé Félix sur le chemin du retour.

Le ciel était descendu d'un cran, et il s'était remis à neiger. Perdu dans ses pensées, Rico s'était arrêté de marcher. Le souvenir de sa première neige, gamin. Debout, à l'orée d'un champ. Les flocons qui tombaient de plus en plus vite, de plus en plus drus, sur la paume de sa main tendue. Il riait. Il riait aux éclats.

— Non, avait répondu Rico, non, il ne fera pas toujours froid.

Rico se servit une nouvelle tasse de café, et alluma une autre cigarette. Elle n'en finissait pas, cette nuit. Il aurait bien aimé que Titi soit là. Il lui aurait raconté des histoires. Il aimait bien ça, Titi, raconter. Des histoires qu'il avait vécues. Des romans qu'il avait lus.

Ça le prenait, quelquefois, quand ils étaient sur leur banc, square des Batignolles, et qu'ils ne trouvaient plus rien à se dire. Parce que le silence, entre eux, devenait trop lourd. Parce que la vie, tout autour, continuait. Les mères de famille qui papotaient entre elles, le sourire aux lèvres. Les enfants qui couraient, criaient, riaient, pleuraient. Les morceaux de pain sec qui étaient lancés aux canards, plus bas dans la mare. Des adolescents, des lycéens pour la plupart, qui taillaient les cours, pour venir s'embrasser goulûment, sans pudeur, au pied d'un arbre. Le vieux pépé à la crinière blanche qui attendait sans impatience sa femme qui ne viendrait plus…

Titi lui avait raconté *Lord Jim* de Conrad, *L'Archipel aux sirènes*, de Somerset Maugham, *La Puissance et la Gloire*, de Graham Greene. Rico n'avait jamais su s'il s'agissait de vrais romans ou simplement de récits que Titi inventait au fur et à mesure. Aussi, il avait été surpris le jour où Titi entreprit le récit de *L'Île au trésor*.

— Mais je l'ai lu, ça ! Quand j'étais gamin. C'est de qui, t'as dit ?

— Stevenson. Mon préféré.

— Vas-y, raconte !

Mais Titi n'était plus là. Et les histoires qui tournaient dans sa tête, à Rico, les histoires qu'il se racontait, c'étaient les siennes. Il savait qu'il était temps de tout laisser revenir à lui. Cela n'avait plus d'importance, maintenant. Il était au bout du rouleau, et s'il en était là, il n'avait qu'à s'en prendre à lui-même. Et non pas à Sophie. Pas plus qu'à Malika. Et ni même à Julie.

Julie.

C'est avec elle que sa vie avait déraillé. Définitivement. Une nuit.

Il étouffait à tourner en rond, le soir, dans son immense maison vide. Il était parti à Rennes, pour aller au cinéma. Un nouveau Clint Eastwood était à l'affiche. Tout en conduisant, il s'en régalait d'avance. Mais, une fois sa voiture garée, sur le quai Lamennais, pas loin du cinéma, il hésita. Peur, soudain, de tomber sur Sophie et Alain. Ou sur Éric et Annie. Ou sur eux quatre. Ou sur n'importe qui qu'il connaissait. Peur de se montrer à eux dans sa vie d'homme seul. Dans sa solitude. Paumé, évidemment.

Il avait alors grimpé les quelques marches qui conduisaient à la rue Montfort, et il était entré au Chatham, un bar ouvert tard la nuit. Les whiskies y étaient excellents. C'était bondé, comme toujours. Il se faufila jusqu'au bout du comptoir et se fit une petite place. Juste assez pour que le serveur le remarque. Il commanda un Oban, sans glace. Julie était là, à côté de lui, assise sur un tabouret, un verre vide devant elle. L'air d'attendre quelqu'un qui, visiblement, n'arriverait plus.

Elle lui lança un regard. Des yeux noirs, comme ceux de Léa. Rico pouvait dire ça aujourd'hui. Parce qu'il était venu à Marseille à cause du souvenir qu'il avait de Léa. Mais là, à cet instant, il n'avait pas pensé à elle. Léa, il l'avait oubliée. Plus exactement, il l'avait enfouie si loin dans sa tête qu'il croyait l'avoir oubliée. Une fois, il s'était posé la question : « Tu vois, peut-être que, finalement, j'ai toujours été infidèle à Sophie? C'est pour ça que ça a fini par foirer... » Moi, je n'avais pas su quoi répondre, comme toujours.

Rico eut envie de cette femme, tout de suite.

— Vous attendez quelqu'un?

La musique était assourdissante. Il fallait élever la voix pour se faire entendre.

— Personne, elle cria. Et vous?

— Plus personne ne m'attend, il plaisanta.

— Je vois, dit-elle avec un sourire.

— Je vous offre un verre?

— Volontiers.

Elle se pencha vers lui, vers son oreille.

— C'est mon jeu préféré, vider les verres. Je suis imbattable.

Sa voix était déjà empâtée par l'alcool, mais Rico n'y prit pas garde. Absorbé qu'il était à détailler Julie de la tête aux pieds. Un joli petit lot, il pensa. Et, pour la première fois depuis que Sophie était partie, il s'imagina au lit avec cette femme. Au fond de ses yeux, il y avait un quelque chose où il s'était reconnu. Une attirance. Il n'avait pu deviner que ce n'était rien d'autre qu'une immense lassitude de vivre. Le désir, soudain, de coucher avec elle le rendait aveugle au désespoir de cette femme. Et au sien aussi, sans doute.

La salle se mit à chanter à tue-tête :

... Du soleil, j'veux du soleil...

une chanson d'Au petit bonheur, un groupe qui faisait alors un malheur au hit-parade. Rico commanda une nouvelle tournée. Et du soleil, bon Dieu! Du soleil!

Ils burent jusqu'à la fermeture du Chatham, à deux heures du matin. Julie refusa que Rico la reconduise chez elle en voiture. Il l'accompagna jusqu'à la station de taxis, place de la République. Julie avait glissé son bras sous le sien, sa tête s'appuyait contre son épaule. Ils titubaient légèrement, l'air grave, et silencieux.

En rentrant sur Saint-Malo, Rico se dit que, de toute façon, ils avaient trop bu pour vraiment prendre du plaisir ensemble. La prochaine fois, il ferait attention. Il avait vraiment envie d'elle. Et d'aimer à nouveau. De revivre avec une femme. De refaire sa vie. Pourquoi pas? Sur la route – une quatre voies monotone et droite – il échafauda les scénarios des jours, des semaines qui se dessinaient avec Julie. Pourquoi pas? il se répéta. Pourquoi pas? Il avait encore sur sa bouche l'effleurement des lèvres de Julie. Un baiser furtif aux effluves d'Oban.

Julie. Ils se revirent deux ou trois fois par semaine, et le scénario fut toujours le même. Le lieu aussi. Le Chatham, où ils buvaient jusqu'à la fermeture. Sans presque se parler. Quelquefois, ils poussaient vers d'autres bars, entre place des Lices et place Sainte-Anne. Aux avances de Rico, chaque fois plus directes, Julie répondait par un «pas ce soir» ou «une autre fois», tout en se serrant tendrement contre lui.

Un mois après, Rico ne savait toujours rien d'elle. De sa vie. Mais il s'en foutait. Il était, m'expliquat-il, sous son charme. Fasciné et, en quelque sorte, piégé par son désir d'elle. Un engrenage destructeur qui, finalement, sans qu'il se l'avoue vraiment, lui convenait bien.

Un soir, alors qu'ils n'avaient pas rendez-vous, Julie l'appela. Du Chatham. Rico entendait la musique.

114

Elle criait dans le combiné. Elle avait envie de le voir. D'être avec lui. Le lendemain, il devait se lever tôt. Pour aller à Brest. C'était l'automne, l'époque où il présentait les nouvelles collections. Il lui expliqua que ce n'était pas raisonnable, et qu'ils se retrouveraient dans deux jours.

— Je t'en prie.

Une plainte, qu'elle fut obligée de hurler.

— Julie...

Mais elle avait raccroché. Brutalement. Et merde ! s'était dit Rico.

Une heure après, on sonnait à sa porte. C'était Julie.

— Il faudrait que tu payes le taxi, elle expliqua en entrant. Ça fait six cent cinquante francs. Il prend les chèques.

Elle riait. Elle était légèrement ivre. Elle était merveilleusement belle.

Quand il referma la porte derrière lui, Julie était affalée dans un canapé. Rico était comme sonné de la voir là. Elle. Dans cette maison peuplée de rêves d'une autre femme.

— Tu as un verre pour moi ? elle demanda, riant toujours.

Il la servit, se servit.

— Viens, elle murmura, après avoir bu.

Comme elle se serrait contre lui, son chemisier s'ouvrit et il vit ses seins nus. Deux douces courbes joliment renflées. Rico glissa sa main, et son doigt effleura l'un des tétons dur et pointu. De l'autre main, il lui caressa les cheveux. Elle attrapa son sexe par-dessus son pantalon, et le serra fort.

— Sors-le, elle dit dans un souffle.

Il l'entraîna sur le plancher, et il finit de la déshabiller. Sa peau, sombre, était soyeuse. Il la sentit frissonner quand ses doigts effleurèrent son ventre plat et tendu entre les os du bassin.

— Y a pas de lit dans cette maison ? elle demanda, amusée, alors qu'il glissait un coussin sous son dos.

Elle tourna son visage vers lui et il perçut son souffle dans le creux de son cou. Haletant et violent. Quand elle le fit entrer en elle, Rico crut que son sexe prenait feu. Il jouit très vite. Trop vite.

— Oh non ! cria-t-elle. Salaud ! Salaud !

Puis elle l'attira sur sa poitrine.

— C'est rien. C'est pas grave, elle murmura.

Les yeux fermés, il songea au nombre de fois où il avait pris Sophie comme ça. Il en eut les larmes aux yeux.

— C'est pas grave, répéta Julie.

Elle souriait. Elle le fit rouler sur le côté. Ses yeux noirs se plantèrent dans ceux de Rico. Ils étaient vides de tout désir, de toute passion. Un voile terne les recouvrait à nouveau.

— Si on se grouille un peu, on peut finir la soirée au Chatham. Non ?

C'est en rentrant, seul, que Rico perdit le contrôle de sa voiture. Trop de pensées, désordonnées, s'agitaient dans sa tête. Trop d'alcool aussi dans le sang. Il alla d'abord frapper la barrière de sécurité de la quatre voies. Il rebondit sur elle, puis retraversa la route en diagonale. Une voiture qui arrivait le percuta par l'arrière. Sa voiture fit un tour sur elle-même.

À la radio, Alain Souchon chantait :

> ... *Je voudrais que tout revienne*
> *alors que tout est passé*
> *et je chante à perdre haleine*
> *que je n'ai que des regrets...*

116

Puis la radio s'arrêta. Et ce fut le silence. Et, dans ce silence, sa vie prit fin sans même qu'il lui soit utile de tourner la page. Avec juste cette chanson qui continuait dans sa tête :

oh, des regrets, des regrets, des regrets...

Lui et l'autre conducteur s'en sortirent indemnes.
— Une chance, lui dirent les flics, après l'Alcootest.

Un an de retrait de permis. Son outil de travail.

Il ne revit pas Julie. Au Chatham, où il la chercha plusieurs soirs de suite, le serveur lui expliqua qu'elle disparaissait souvent comme ça. Parfois même pendant des mois. Il ne savait rien d'elle. Sauf que c'était toujours le même homme qui venait régler ses dettes.

12

Même l'amour, parfois, ne résout rien.

Le vrai prénom de Julie était Violaine. Rico ne l'apprit que quelques mois plus tard. Mais il ne se résolut jamais à l'appeler ainsi, Violaine. Même dans sa tête. Elle était, et serait toujours Julie. C'est à Brest qu'il la retrouva, par hasard. Il était là depuis deux jours, à visiter ses clients. Rico, selon ses habitudes, était descendu à l'Astoria, un petit hôtel sans prétention, rue Traverse, à deux pas du cours Dajot où il aimait bien venir flâner, se détendre, en fin de journée.

En entrant dans la salle à manger de l'hôtel, il tomba sur elle. Julie. Elle déjeunait, seule. D'un air absent, elle trempait machinalement un croissant dans sa tasse de café. Rico l'observa un instant, puis il se dirigea vers sa table. Elle leva ses yeux vers lui. Le même regard que lors de leur première rencontre. Des yeux à faire chavirer le monde, selon l'expression même de Rico. Tout ce qui pesait sur son cœur, depuis la nuit de l'accident, s'évanouit aussitôt. Par ce seul regard.

— Je peux m'asseoir ? il demanda.

Julie hocha la tête. Elle n'avait manifesté aucune surprise en le voyant. Aucun déplaisir, aucune joie non plus. Et, visiblement, elle ne semblait pas prête à s'excuser pour son silence. La seule chose qui parût certaine à Rico, c'est que sa présence ne la laissait pas indifférente.

— Qu'est-ce que tu fais là ? il l'interrogea, avec une froideur feinte.

— Je suis venue accompagner mon mari, elle dit sans détours, et d'une voix plate. Il est officier. Dans la Marine nationale. Sur le *Foch*. Il vient de reprendre la mer.

Elle le regarda par-dessus sa tasse, attendant une question. Rico n'en posa pas. L'émotion le gagnait. Le désir d'elle. Ce qu'elle venait de lui révéler de sa vie, là, en quelques secondes, était sans importance. Il n'en retenait qu'une chose, que son mari venait de partir, qu'elle était de nouveau seule. Il eut envie de lui dire : « C'est un bonheur de te revoir. » Mais elle poursuivit, de la même voix plate :

— Ils descendent en Méditerranée. Je dois le rejoindre à Toulon, en fin de semaine.

Elle reposa sa tasse, puis regarda l'heure à sa montre.

— Il ne faut pas que je tarde. Mon train part dans une heure.

— Je prends le même, sourit Rico, en allumant une cigarette. Je rentre sur Rennes, moi aussi.

— En train ?

Durant le voyage, deux heures qu'ils passèrent dans la voiture-bar à boire des whiskies, Rico lui raconta l'accident. Qu'on lui avait retiré son permis de conduire. Et que, depuis, il faisait la tournée de ses clients en train, de ville en ville, puis en taxi dans les villes. Ses déplacements, lui expliqua-t-il, lui prenaient trois fois plus de temps. Il lui fallait jongler avec les correspondances.

— Brest-Caen, plaisanta-t-il, tu n'imagines pas l'enfer que c'est !

Julie l'écoutait, visiblement indifférente, les yeux rivés au paysage qui défilait. Comme perdue dans une autre vie. Dans d'autres malheurs.

— Plusieurs soirs je suis allé au Chatham, avec l'espoir de te voir.

Elle ne répondait toujours pas, et Rico s'énerva un peu :

— Un des serveurs, il m'a dit qu'il te connaissait bien. Que tu venais par périodes, puis que tu disparaissais, laissant des ardoises que ton... mari, ton mari c'est ça ?, venait régler... et...

Il avait envie de la prendre dans ses bras, de la serrer contre lui, tendrement. Il se fit agressif :

— Et que tu n'étais pas farouche avec les hommes qui te payaient un verre.

Elle tourna enfin la tête vers lui.

— Et alors ?

Rico aurait voulu qu'elle se défende, qu'elle nie, qu'elle lui explique... N'importe quoi, mais qu'elle lui parle d'elle. D'elle, encore. Alors, il posa la question qui lui brûlait les lèvres :

— Tu l'aimes ?

— Non, répondit-elle froidement, en plantant ses yeux dans les siens.

— Pourquoi tu restes avec lui, alors ?

— Parce que c'est ma vie. Ça te va ?

Rico n'insista pas, et ils restèrent silencieux devant leur verre, jusqu'à Rennes.

— Tu fais quoi, maintenant ? lui demanda Julie lorsqu'ils descendirent du TGV.

Rico avait une correspondance pour Saint-Malo dans cinq minutes.

— Je n'ai pas très envie de me retrouver seule.

Ses yeux noirs s'accrochèrent à lui. Elle semblait épuisée.

— L'omnibus est sur l'autre quai, répondit Rico. Viens.

Et il la prit par le bras, et l'entraîna vers le train qui était déjà en place. Elle ne lui résista pas. Les alcools bus durant le voyage jetaient de nouveau un pont entre leurs deux solitudes.

Dans le salon, Julie regarda avec un sourire amusé le canapé, puis le plancher sur lequel ils avaient fait l'amour quelques mois plus tôt.

— Et alors, elle dit, il y a un lit dans cette maison ?

— Ben oui, rigola Rico. Dans ma chambre.

— Qu'est-ce que tu attends, pour me montrer où c'est.

Son corps lui parut plus fragile. Sa peau plus douce encore. Elle trembla lorsqu'il la pénétra. Comme si, pour la première fois, un homme venait en elle.

Ses yeux, quand elle les ouvrit, ne pétillaient pas de bonheur. Ils n'étaient qu'un océan de tristesse. Pourtant, Rico le croyait, Julie avait pris du plaisir. Ils s'étaient aimés lentement, jusqu'à ce qu'il sente ses ongles lui labourer le dos. Mais – et Rico ne le réalisa que plus tard – ils avaient seulement joui l'un de l'autre, pas l'un pour l'autre. Deux corps étrangers, qui se repaissaient d'un bonheur éphémère.

— Mon mari, il a tué l'homme que j'aimais.

Toujours couchés, ils fumaient en silence depuis un bon moment. Julie fixait un point imaginaire dans le plafond. Elle avait prononcé ces mots de cette voix plate, monocorde, qu'elle trouvait pour parler d'elle, de sa vie.

— Tué ? répéta Rico, surpris.

— Mon mari lui a fait si peur, tu vois, avec son revolver et ses menaces, qu'il a disparu sans demander son reste. Sans même me dire au revoir, adieu ou n'importe quoi...

— C'était avant qu'on se rencontre ?

Elle hocha la tête.

— Bien avant. J'étais prête à tout quitter pour lui... Depuis deux jours, je m'étais réfugiée chez mes parents. À Lamballe. Mon mari a fait la route jusque chez eux. Pour me ramener à la maison, comme il a dit à mon père.

Elle se tourna vers la table de nuit, pour attraper la bouteille de whisky que Rico avait apportée dans la chambre.

Rico laissa courir ses yeux le long du corps de Julie. De ses épaules étroites jusqu'à ses fesses rondes et menues.

Elle remplit les deux verres, en tendit un à Rico.

— Il m'a giflée devant eux, et ils n'ont rien dit... Ils l'aiment beaucoup, mon mari. Officier, hein, ce n'est pas rien... dans une famille. Le prestige de l'uniforme, tout ça...

— Pourquoi tu l'as épousé ?

— Ma mère, tu vois, elle ne comprend pas ce que j'ai dans la tête. C'est ce qu'elle m'a dit, ce soir-là, dans la cuisine. Et que je devrais penser à avoir des enfants, comme mes sœurs... Elles non plus, d'ailleurs, elles ne me comprennent pas.

Elle vida son verre.

— L'important, ce n'est pas l'amour. C'est sa représentation. Ça fonctionne comme ça, la vie. Sur la représentation, toujours. L'amour...

Rico ne reposa pas sa question. Maintenant que Julie lui parlait, qu'elle se livrait comme il l'avait tant souhaité au tout début de leur rencontre, maintenant il ne savait plus quoi dire. Ni que faire. Ni que penser, surtout.

Depuis un moment, il se demandait si c'était vrai, toute cette histoire. Ou, du moins, quelle en était la part de vérité. Plus elle se dévoilait, moins il arrivait à se faire une idée d'elle. De Julie. Et, du coup, il ne l'écoutait plus que distraitement.

À un moment, il imagina Sophie dans le lit d'Alain, en train de lui raconter, comme Julie à cet instant, sa vie triste avec son mari. Sans doute en rajoutant du malheur, pour mieux l'émouvoir. Le séduire. Aucun homme, songea Rico, n'était insensible au dépit amoureux d'une femme. Cette dernière pensée le dégoûta profondément.

— Après le repas, quand nous nous sommes retrouvés dans la chambre, poursuivit Julie, il s'est jeté sur moi et m'a renversée sur le lit. Il m'a violée. Il m'a violé, tu comprends ? Je me suis débattue. Il disait des choses horribles. J'ai crié, j'ai hurlé. Il aurait pu me tuer… Mais ni mon père ni ma mère n'ont bougé. J'étais sa femme, et… c'était son droit, il… Ils devaient penser ça aussi, mes parents. Ma mère…

Rico la désirait à nouveau, et, en vérité, il ne pensait plus qu'à ça. À ses petites fesses qu'il avait entr'aperçues quelques instants auparavant.

— Viens, dit Rico en l'attirant vers lui.

— Je n'en peux plus, elle murmura.

Sa voix était sans émotion aucune. Le regard qu'elle eut pour Rico était comme d'un autre monde. D'un monde où toute passion était morte. Et le dernier espoir qu'avait Rico de lui faire l'amour une nouvelle fois s'envola.

— Je dois rentrer. Tu veux bien m'appeler un taxi ?

Le lendemain, ils se retrouvèrent au Chatham. Ils burent sans limite. Puis, à la fermeture du bar, comme elle refusa qu'il vienne chez elle, ils se mirent en quête d'un hôtel. Ils finirent par trouver une chambre, à L'Atlantic, place des Lices.

Quand Rico se réveilla, Julie n'était plus là. Il sut qu'elle ne serait jamais plus là. Tard dans la nuit, il avait dit, un peu fanfaron, mais surtout parce qu'il avait très envie d'elle :

— Tu sais, ton mari, moi il ne me ferait pas peur. Si tu voulais...

— Mais toi, je ne t'aime pas, elle avait répondu avec lassitude. Je ne t'aime pas.

Son sang, à Rico, s'était glacé. Ce qui lui restait de vie, d'espoir, depuis le départ de Sophie, Julie l'avait détruit. Emporté dans sa chute. Julie, il ne le comprit que plus tard, l'avait emmené jusqu'au bord du gouffre où elle avait plongé depuis longtemps déjà. Lui, il s'y était laissé conduire. Et le plongeon, il le fit lorsqu'on le convoqua à Paris pour s'expliquer sur ses résultats désastreux du premier semestre. L'homme qui se présenta était un homme perdu. On ne lui laissa aucune chance.

Les pleurs de Maeva firent sursauter Rico. Il s'était recouché sur le canapé, après avoir avalé une autre rasade de pastis sec. Il se leva. Quand Monique entra dans la cuisine, Rico venait de refaire du café.

Elle alluma une clope et attrapa un bol.

— Déjà debout.

Elle paraissait moins fatiguée que la veille. Moins nerveuse. Plus détendue. L'amour apaise, pensa Rico.

— C'est à cause d'la p'tite, hein ? Elle a mal dormi tout'la nuit... Et ici, on entend tout. Les murs, c'est qu'du papier à cigarette.

Elle regarda Rico. Elle se demandait s'il les avait entendus, eux, et pas seulement les pleurs de Maeva. Il les avait entendus prendre leur pied, bien sûr. C'était même ça qui l'avait réveillé, Rico. Les longs râles de Dédé. Les gémissements de Monique. Leur plaisir avait résonné en lui comme un écho de ses plaisirs lointains.

Rico se contenta de hausser les épaules.

— C'est pas grave. Je dors jamais très bien.

Ils se regardèrent à nouveau.

— Dédé, y va rester là, un peu, tu sais ?

— Il me l'a dit, ouais.

C'est comme ça, semblaient dire les yeux de Monique. C'est le hasard qui le veut. Ça ne chassait pas la fatigue au fond de ses yeux. Ça n'enlevait rien à la tristesse de ses sourires. Ça ne changerait rien à la connerie de la vie. Sa vie, elle n'avait pas plus de sens avec Jo qu'avec Dédé. Sauf qu'elle était plus supportable à deux. Avec Jo ou avec Dédé.

— J'ai des affaires à Jo, c'est plus ta taille qu'à Dédé. Si tu veux, tu peux prendre.

Il avait tout pris par deux. Pantalons, chemises, tee-shirt, chaussettes. Et un gros pull bleu marine, genre marin, avec les boutons sur l'épaule gauche. Il laissa les slips, il préférait les caleçons. Il mit ses affaires sales à la poubelle. Monique le regarda faire.

— Tu les jettes ?

Une habitude qu'il avait prise, avec Titi. Au début, il allait au lavomatic. Lavage, essorage, séchage. Vingt francs, les six kilos. Plus la poudre. Ça revenait cher, chaque semaine. D'autant qu'il n'en avait jamais pour six kilos, et que ça coûtait quand même vingt francs. De plus, il fallait toujours un rechange d'avance. Un jour, au lavomatic de la rue de Montreuil, un jeune zonard était entré, il s'était complètement déshabillé, sauf le slip, et il avait mis en route une machine. Puis il avait attendu.

Plusieurs femmes, des mères de famille, avaient été outrées par ce strip-tease.

— Ben quoi ! il leur avait lancé, vous avez jamais vu la pub Levi's ?

Elles l'avaient vue, bien sûr. Mais là, elles trouvaient ça moins drôle qu'à la télé.

— Rester propre, lui avait expliqué Titi, dans la rue, c'est plus difficile que de trouver à manger. Et si tu n'es pas propre, tu plonges vraiment. Parce que personne ne va te filer la pièce, si tu pues.

— Tu fais comment ?

Titi avait « son » bar. Chaque matin, il allait se débarbouiller. Les avant-bras, les mains. Le visage. Les dents. La barbe. Une fois par semaine, il se rendait à la Maison du Partage, rue Bouret, dans le 19e. Six francs la douche. Avec serviette, gant, shampooing, savon. Et personne ne vous pressait, ne venait cogner à la porte. Avant, il passait chez Tati, place de la République, pour acheter tee-shirt, caleçon et chaussettes propres. Ou des jeans à cinquante francs. « Le neuf, sur soi, c'est vachement agréable, disait Titi. Surtout quand tu es propre. »

Rico avait opté pour cette méthode. Il n'y avait que pour les manteaux, les vestes, les pulls et les godasses, qu'il faisait les « vestiaires » de l'Armée du Salut et du Secours catholique.

— C'est plus simple, il répondit à Monique.

Ils ne s'étaient pas beaucoup parlé tous les deux, depuis hier. Mais Rico ne savait pas quoi lui dire à Monique. Sans doute y avait-il trop longtemps qu'il n'avait pas été en contact avec une femme. De l'avoir entendue jouir cette nuit n'avait fait qu'accentuer son malaise. Rien ne le pressait de partir, et pourtant il n'avait qu'une hâte, c'était de les quitter, elle et Dédé.

Félix attendait Rico dans le hall d'entrée de l'immeuble, assis sur une marche. La tête de lézard semblait dormir. Il transportait son ballon dans un grand sac plastique Go Sport.

— Je t'accompagne au bus, il avait dit en se levant.

La tête de lézard se mit à frétiller, au coin de l'œil.

— Pourquoi tu as disparu, hier soir ?

— Je devais passer à la ferme. Norbert, il a la grippe. Et Anne, elle avait besoin de moi. J'aime bien lui faire plaisir, à Anne. Elle est mignonne, et gentille avec moi.

Il avait encore neigé toute la nuit. Mais Rico trouva la température plus clémente que la veille. C'était peut-être à cause de la douche bien chaude qu'il avait prise, et des vêtements propres qu'il avait enfilés.

— Fais gaffe à pas glisser, hein ! dit Félix.

— T'aurais pu monter, prendre un café…

Félix haussa les épaules.

— Jo, t'sais, il m'a d'mandé d'veiller sur Monique et la p'tite, tout l'temps qu'y serait absent.

Il se mettait à parler comme Monique. Les mêmes intonations.

— Sinon, j's'rais bien venu avec toi, à Marseille. Ça m'aurait plu. Y a l'OM, là-bas. Y sont vachement bons, comme équipe de foot.

— Dédé est là maintenant.

— Ouais, mais y va pas rester tout l'temps là, Dédé. Alors, tu vois, j'préfère pas en dire plus.

13

Des jours avec et des jours sans,
l'avenir s'arrête là.

Rico errait depuis un quart d'heure dans le hall de
la gare de La Part-Dieu, à Lyon. Les choses auraient
pu être simples, bien sûr. Comme pour n'importe
quel voyageur. Le tableau d'affichage, en gare de
Chalon, affichait un train à 11 h 55 qui l'amenait à
Lyon à 13 h 12. De là, à 13 h 36, un TGV partait pour
Marseille, où il arrivait à 16 h 18.

Marseille, il s'y voyait enfin, Rico.

Mais voilà, quand il monta dans le TGV, en voiture 5, fumeurs, il tomba nez à nez avec un contrôleur. Celui-ci flaira immédiatement à qui il avait
affaire. Il devait être entraîné à repérer les traîne-
misère. Comme certains chiens sont dressés à renifler la drogue dans les bagages aux frontières. Parce
que lavé, rasé de frais, habillé de fringues propres
sous sa belle parka noire, Rico ressemblait à n'importe quel voyageur qu'on pouvait croiser sur le quai.
Seul, il est vrai, son sac à dos, d'un bleu délavé, sale
et couvert de taches, dénotait. Mais tout le monde ne
voyageait pas avec des sacs et des valises Vuitton.

— Vous allez où ?

— Marseille.

— Je peux voir votre billet ?

Rico haussa les épaules, avec une lassitude feinte.

— Allez acheter un billet.

— J'ai pas d'argent, m'sieur, s'excusa Rico, le plus pitoyablement possible.

Quelquefois ça marchait, de jouer l'humilité. D'inspirer de la compassion. Il avait expérimenté la méthode lors de ses Paris-Rennes. On lui demandait ses papiers. On lui dressait une contravention. Et vogue la galère...

Le contrôleur le toisa. Ils devaient avoir le même âge tous les deux, ou presque. Deux hommes. De la même génération. Mais l'un avait un boulot, un salaire et une parcelle de pouvoir, et l'autre n'avait plus rien, que quelques affaires dans un sac à dos pourave. Un coriace, pensa Rico, en gardant la tête baissée. Des bouffées de colère montèrent en lui, comme chaque fois qu'il se heurtait à l'un d'eux. Qu'est-ce que ça lui coûtait, à ce type, de le laisser prendre le train ? Ça changerait quoi, hein, pour la SNCF ? Pour l'économie nationale ? L'avenir de l'Europe ? En quoi ça l'emmerdait, lui, putain de bon Dieu ?

Ce contrôleur avait la réponse aux questions de Rico. À toutes les questions, sans doute.

— On n'a pas vocation à transporter la misère du monde. Alors, vous descendez.

Il le dit sans dureté. Mais fermement. Avec l'autorité que lui conférait sa casquette. Des gens montaient. Pressés, inquiets de ne pas trouver leur place, de rater le train... Des familles. Des personnes âgées. Des hommes seuls. Des femmes seules. Des jeunes. Des blonds. Des bruns. Des Africains. Des Maghrébins. Des Japonais. Chaque fois le contrôleur, un sourire aux lèvres, se reculait pour les laisser passer.

— Excusez-moi, l'interpella, essoufflée, une jeune femme. Je n'ai pas eu le temps de composter mon billet.

— Ce n'est pas grave, madame. Installez-vous. Je viens vous voir.

Le ton était affable. Rassurant. À l'image de la pub de la SNCF. À nous de vous faire préférer le train.

— Descendez, répéta le contrôleur. Vous gênez, vous voyez bien.

Avec son sac à dos, c'est vrai, il rendait difficile l'accès aux places. Certaines personnes lui lançaient des regards courroucés. D'autres le bousculaient pour pouvoir passer. Sous la forte poussée d'un type assez corpulent, Rico faillit perdre l'équilibre. Il s'accrocha au bras du contrôleur.

— Jusqu'à Valence, hasarda Rico, en se fendant d'un sourire.

— Vous descendez, j'ai dit.

Et il se dégagea de la main de Rico qui agrippait la manche de son veston.

Rico en eut soudain assez de jouer profil bas. De quémander. D'implorer. Il regarda le contrôleur dans les yeux. Des yeux clairs, dans lesquels il ne lut aucun sentiment. Que de l'indifférence. Et la froideur du règlement. Des lois. De l'ordre.

— Enfoiré !

Rico n'avait pas élevé la voix. C'était dit sans aucune haine, ni colère. Juste avec mépris. Beaucoup de mépris. Le contrôleur prit l'insulte en pleine figure, pour ce qu'elle était : un crachat.

— Descends !

C'était un ordre maintenant. Avec le tutoiement qui rabaisse.

Rico obtempéra. Le contrôleur le rejoignit sur le quai. Il ne souriait plus.

— Si je te vois monter, le train ne partira pas. Tu as pigé, ça ? Alors, dégage connard !

C'étaient deux hommes, non plus d'une même génération, mais de deux mondes différents, et que tout séparait.

Rico l'affronta une nouvelle fois du regard. Il l'imagina au dépôt central. À son arrivée à Marseille. Racontant l'anecdote à ses collègues, en buvant une bière fraîche, bien méritée. « Il y a des centres pour ces gens-là... Ils n'ont qu'à y rester, non ? Au lieu de traîner sur les routes, surtout par ce froid... » Qui s'offusquerait de ce manque d'humanité ? Qui se mettrait à dos un collègue de travail ? Un camarade du syndicat ? On ouvrirait alors d'autres bières, toujours aussi fraîches, et encore bien méritées, pour évoquer le passage aux trente-cinq heures, les compensations de salaires, la réévaluation des primes... Seule sa femme, le soir à table, ferait peut-être une remarque. « Quand même, cette pauvreté... », dirait-elle. Mais, malgré tout, elle se rangerait à l'avis de son mari. Parce que c'était l'évidence même, c'était comme dans la rue, on ne pouvait pas donner à tous, on ne pouvait pas secourir le monde entier.

— Pauvre type, marmonna Rico.

Puis il tourna le dos au contrôleur, et repartit vers le hall central.

Rico repéra un autre train. À 14 h 03. Jusqu'à Valence. Là, à 15 h 44, un TGV l'amenait à Marseille. Il se mit en quête d'un banc. Mais ils étaient tous occupés. Ou presque, comme celui où, bien à son aise, un jeune couple cassait gentiment la croûte. Il n'eut pas le courage de tenter sa chance auprès d'eux. L'incident avec le contrôleur lui suffisait pour aujourd'hui. Il ne pouvait s'en prendre à la terre entière. Il n'en avait pas la force.

La fatigue de sa mauvaise nuit commençait à lui tomber sur les épaules. La douleur, dans son dos, se réveillait aussi. Des élancements qui ne trompaient pas. Il posa son sac contre la vitrine d'un Relais H, s'assit par terre et ouvrit une canette de bière. Il avala la première gorgée avec deux Doliprane, qu'il avait pris la précaution d'acheter le matin à Chalon.

Rico repensa à Dédé. Dans cet hiver pourri, s'ouvrait pour lui une parenthèse heureuse. Un toit, une femme. Ça durera ce que ça durera, ainsi que le lui avait confié Dédé, sur le pas de la porte. Mais c'était toujours ça de pris sur la galère. Puis il songea à Félix, qui avait choisi de fuir les villes, les hommes. De vivre dans une cabane, en pleine campagne. Avec, pour veiller sur lui, telle une madone, le sourire de Sophie Marceau. Tête de lézard, queue de lézard, s'était murmuré Rico, en regardant Félix, immobile sur le trottoir, comme au garde-à-vous, alors que le bus s'éloignait.

Il le laissait derrière lui. Et Dédé et Monique. C'était un adieu. Il n'y aurait pas de retour. Marseille serait la fin du voyage. De l'errance. De ce dégoût de vivre qui l'avait envahi depuis la mort de Titi. Ce dégoût de lui-même. Les yeux de Rico se fermaient. Il revit le regard de Julien, dans la lunette arrière de la voiture de Sophie. Il fouilla ce regard tant qu'il put, pour y déceler une lueur d'espoir, même infime, n'en trouva pas, et se dit qu'il réfléchissait trop, que ça ne servait à rien, que, de toute façon, il n'y avait plus rien ni personne. Rien. Plus rien.

On le secoua violemment. Rico ouvrit les yeux. Les « bleus ». Ils étaient deux, comme toujours. Un

Antillais et une jeune femme. Merde! râla-t-il. Depuis que la BAPSA, la brigade d'assistance aux personnes sans abri, l'avait embarqué une fois, les «bleus» il avait toujours réussi à les éviter. Il se demanda si à Lyon, ils avaient, comme à Paris avec le centre de Nanterre, un foyer où ils fourguaient tous ceux qu'ils ramassaient en fin de journée.

— On dort pas dans la gare, dit l'Antillais.

Rico se leva péniblement. La tête encore pleine de sommeil. À l'horloge, il lut l'heure. Quatre heures cinq. Il avait dormi deux heures et raté le train pour Marseille. Et d'autres trains sans doute.

— Ramasse tes saloperies! lui ordonna le flic, en désignant la canette de bière.

Rico attrapa la boîte vide, la glissa dans la poche de sa parka, puis il souleva son sac.

— Tu as tes papiers? l'interrogea la femme-flic.

Rico lui tendit sa carte d'identité pliée en deux. Elle la déplia avec dégoût. Elle jeta un œil sur la vieille photo. Puis elle le dévisagea.

— Et tu as de l'argent?

Rico lui fit voir cent francs. Une carte d'identité, cent francs, normalement cela devait suffire. Mais à leurs regards, à ces deux-là, il comprit qu'il n'en avait pas encore fini. Que ce n'était pas son jour.

— Et tu vas où? poursuivit la femme-flic.

— Marseille.

— Cent francs, c'est pas le prix du billet.

— Je sais.

— Et alors?

Rico haussa les épaules.

— Je vais m'arranger avec un contrôleur.

— Ouais...

Les deux flics se regardèrent.

— Suis-nous!

Saloperie, râla encore Rico. Il s'en voulait. Il n'aurait pas dû se laisser gagner par le sommeil. Il les aurait vus venir.

— Mon train…, il balbutia.

— Tu nous suis !

Ils le conduisirent au poste de police de la gare. Là, ils le laissèrent poireauter sur un banc.

— L'interpellation n'est ni légale ni illégale, lui avait expliqué Titi, quand, le lendemain matin, ils relâchèrent Rico de Nanterre. Ils nous embarquent contre notre gré mais, tu vois, c'est pour notre bien, qu'ils disent. Alors, le flou juridique, c'est pas demain qu'il va être comblé…

Nanterre. Rico s'y revit avec horreur. Tous à poil. Un savon et une serviette à la main. Direction la douche obligatoire. Sous l'œil sévère d'un surveillant qui s'emploie à pousser sous l'eau ceux qui s'y refusent. Tous à poil encore dans un couloir. Jusqu'à un guichet où un pyjama marronasse, usé, aux taches indélébiles, est distribué pour la nuit. Nanterre…

Des flics entraient, d'autres sortaient. Dans la pièce qui leur servait de bureau, Rico les entendait maintenant se raconter des blagues, et rire. À un moment, l'un d'eux lança :

— Et tu sais comment ils cueillent les melons, à Marseille ?

— Non, dit une voix.

— Ils secouent les échafaudages !

Et tous d'éclater de rire.

L'heure tournait. À six heures, le flic antillais et la femme-flic vinrent vers Rico.

— Allez, tu nous suis.

Rico était abattu. Même dans sa tête, il ne râlait plus. Il sc laissa conduire. Résigné. L'esprit plein encore des images de Nanterre. Tous en file indienne. Promenade forcée dans la cour, en attendant l'heure du repas. Les uns derrière les autres, silencieux. La ronde quotidienne des fantômes de l'autre monde.

Ils sortirent de la gare, et firent monter Rico dans une R21 blanche. Ils roulèrent dans Lyon. Une ville que Rico connaissait mal. Il avait dû y venir trois fois dans sa vie. Et il ne s'y était jamais senti à l'aise. Il aperçut, au loin, à sa droite, la colline de Fourvière. Il commença à s'inquiéter.

— Où on va ? hasarda timidement Rico.

Ils ne lui adressèrent la parole qu'une fois sortis du centre-ville. Après Pierre-Bénite, en bordure du Rhône. Pour lui demander de descendre de voiture. Ils étaient sur la bretelle d'accès à l'autoroute. Par la fenêtre, la femme-flic lui tendit sa carte d'identité.

— Là, tu es dans la bonne direction, elle rigola. Tu as intérêt à te démerder vite. D'après la météo, ça va méchamment neiger. Bonne route !

La voiture démarra. L'abandonnant dans cette courbe que faisait la bretelle d'accès. Personne ne s'arrêterait pour le prendre là. Si d'aventure quelqu'un en manifestait l'intention.

Rico sentit le froid s'abattre sur ses épaules. Il sortit son bonnet de sa poche et l'enfila jusqu'aux oreilles, puis il remonta la capuche sur sa tête et noua le cordon au-dessous du menton. Des gestes mécaniques. De survie. Il redescendit la route de plusieurs mètres et commença à faire du stop.

Depuis que ces flics l'avaient embarqué, sa tête fonctionnait à vide. Sur la centaine de traîne-misère qui devaient errer à la Part-Dieu, il avait fallu que ça tombe sur lui. Pourquoi ? Parce que. Un point, c'est tout. Il y avait des jours avec et des jours sans, disait souvent Titi. Les jours avec ressemblaient à l'avenir. Les jours sans aussi.

Voitures et camions défilaient. Appels de phare. Petits coups de klaxon. Ça amusait toujours autant les cons de voir un pauvre type sur le bord de la route.

Une R5 rouge, qui avait abordé la bretelle très prudemment, ralentit en le dépassant. Le clignotant droit s'alluma. Et la bagnole s'arrêta un peu plus loin. Rico attendit avant de bouger. On lui avait fait le coup trop de fois, de démarrer au moment où il approchait. La voiture entreprit une lente marche arrière. Rico ramassa son sac et vint à sa rencontre.

La portière s'ouvrit. Un vieux bonhomme était au volant. L'intérieur sentait l'odeur des chiens.

— Où que vous allez ? il demanda en démarrant.

— Marseille.

Le bonhomme rigola.

— M'arrête à Vienne... Marguerite, elle s'inquiéterait si elle me voyait pas rentrer.

— C'est votre femme ?

— Ma chienne. Un labrador. Ma femme, elle s'appelait Louise... Elle a préféré s'en aller avant moi. Ce serait trop dur, toute seule, elle arrêtait pas de dire. Et voilà... et moi, j'arrive pas à mourir...

— Rien ne presse, répondit Rico.

— Ouaip. Mais bon, y a pas plus à voir que ce que j'en ai déjà vu, et ce que je vois le soir à la télé, c'est guère plus encourageant...

Il conduisait lentement, sur la file de droite. La tête sur le volant.

— J'ai peut-être un train. À Vienne.

— Ça, je peux vous déposer. Mais c'était plus simple à Lyon. Vienne, c'est rien qu'une petite gare.

Rico n'eût pas envie de raconter sa mauvaise rencontre avec les « bleus ».

— On fait pas toujours ce qu'on veut.

— C'est ce que disait toujours ma femme. Ça emmène pas bien loin...

Il tourna la tête vers Rico.

— Attention, hein, je dis pas ça méchamment. On a été heureux, Louise et moi. Mais peut-être qu'on aurait vécu autre chose... si on avait voulu plus.

Rico pensa que le vieil homme avait raison.

— Enfin, il ajouta, il me reste la chienne. On vieillit ensemble... Tant qu'elle sera là...

Il lança un regard à Rico, puis se reconcentra sur la route.

— Ça va ? Vous n'avez pas peur ?

— Ça va.

Il y avait un train. Dans une demi-heure. À 21 h 06. Il fallait changer à Valence. Trente-huit minutes d'attente, pour un TGV qui filait sur Montpellier. Il n'avait pas d'autre choix, Rico. Ou il passait la nuit à Vienne. Ou à Avignon. La nuit, c'était plus simple pour voyager. Les contrôleurs étaient moins chiants. Parfois même, on ne les voyait pas. Et Avignon n'était plus qu'à une heure de Marseille. Il opta pour la seconde solution. Se rapprocher le plus de Marseille.

14

Après la neige, le mistral, et le froid, toujours.

Avignon n'était pas sous la neige, mais livrée au mistral. Rico avait à peine posé le pied sur le quai qu'il sentit le vent glacer son corps. Il se pressa de gagner le passage souterrain pour se mettre à l'abri. Là, dans le couloir, il reprit son souffle.

Dans le hall, peu animé, chacun se dépêchait de rentrer chez soi. Rico était hésitant. Rester passer la nuit dans un coin de la gare ou sortir dans le mistral pour se trouver une planque jusqu'au premier train pour Marseille. Il sentit des regards sur lui. Des routards, et leurs chiens. Six, dont deux filles. Tous le crâne rasé. Avachis près des cabines téléphoniques, dans le passage qui menait du hall à la brasserie de la gare.

Rico ne réagit pas assez vite. Une des filles, cigarette aux lèvres, s'extirpa du groupe et vint vers lui. Un des chiens la suivit, un bâtard à gueule de loup. La fille se planta devant Rico. Elle portait de petits anneaux d'argent aux oreilles, aux sourcils et entre les narines. Elle puait la crasse et la bière.

— T'aurais pas une clope pour moi ? elle demanda en soufflant sa fumée sur le visage de Rico.

Le chien renifla les chaussures et le bas du pantalon de Rico. Il va me pisser dessus, il se dit. Il avait déjà vu ça, une fois, gare Saint-Lazare. Certains routards les dressaient à le faire. Ils trouvaient ça plus amusant de voir leur chien pisser sur les jambes des gens que contre les arbres.

Il sortit son paquet. Des Fortuna, qu'il avait achetées à Lyon. Elles étaient pas chères, mais on n'en trouvait pas partout. Il le lui tendit, en évitant de la regarder. Ses yeux étaient d'un bleu lavasse. Ternes. Aussi sales que devait l'être son corps. La fille prit une cigarette, qu'elle glissa au-dessus de son oreille droite.

— Et pour mon copain, j'peux ?

Le chien, maintenant, lui reniflait l'entrejambe. Prêt à lui mordre les couilles. Tout pouvait basculer très vite, il le savait. Quatre mecs, deux chiens. Il ne lui resterait plus rien, s'ils décidaient de lui tomber dessus. Et personne ne lui porterait secours.

— Ben ouais, il finit par dire.

La fille eut les mêmes gestes, et la cigarette atterrit au-dessus de son oreille gauche. Sur ses lèvres, étroites, presque noires, flottait un sourire. Aussi engageant qu'une lame de rasoir. Elle avait la même gueule dégénérée que le chien qui lui collait au cul.

— Et t'aurais pas cent balles, des fois ?

— Tu m'as pas bien regardé, peut-être.

Un routard – le copain de la fille ? – quitta le groupe et se dirigea vers eux d'un pas hésitant, une bouteille de Valstar à la main. Il mesurait dans les deux mètres, et devait peser dans les cent cinquante kilos. Un géant.

— Tu veux boire un coup, camarade ? il proposa, en tendant la bouteille à Rico.

Oui ? Non ? L'étincelle d'une baston possible. La main qui tenait la bouteille était large, épaisse. Un battoir. À la jointure des doigts, des croûtes sèches, verdâtres. Rico saisit la bouteille et but. Il sentit le regard sale de la fille sur lui et le museau du chien à renifler dans son entrejambe, par-derrière cette fois.

— Bienvenue à Avignon, camarade! se marra le géant.

Le goût de la bière, mélangée à la peur qui lui tenaillait le ventre, réveilla en lui le besoin d'alcool. Il eut envie de s'envoyer une autre bonne gorgée, mais il se raisonna. Il fallait qu'il se tire, vite fait, de cette gare. Il rendit la bouteille au géant.

— Ben, ça va mieux, marmonna Rico, tout en ajustant le bonnet sur sa tête.

— Et c'est quoi, ton nom? demanda le type.

— Rico.

Le géant attrapa la cigarette sur l'oreille gauche de la fille et se la planta entre les lèvres.

— T'as du feu, Rico?

Rico sortit son briquet et le lui tendit.

— T'sais où tu vas? demanda la fille.

— Laisse tomber, Véra! ordonna le type, en rendant son briquet à Rico.

— Putain! elle cria, j'fais c'que j'veux! Si j'veux aller avec c'type, m'faire niquer, j'y vais.

Tout pouvait péter. Là, maintenant.

— T'fais chier! cria encore la fille.

— J'y vais, dit le plus calmement possible Rico.

Et sans un regard pour eux, il marcha vers la sortie. Le chien l'accompagna. La gueule sur ses mollets. Il le lâcha quand il ouvrit la porte, et que l'air glacial lui lécha le museau. Les deux autres n'avaient pas bougé. Ils s'engueulaient toujours.

Tête baissée, Rico descendit les escaliers de la gare et, courageusement, il fit front au mistral.

Rico ne connaissait pas Avignon, et ne savait donc dans quelle direction aller. Il marcha droit devant lui. Jusqu'aux remparts qui lui faisaient face. Porte de la République. Centre-Ville, put-il lire. L'idéal, il se dit, ce serait de trouver l'entrée d'un parking souterrain. Passé les remparts, il longea un cours planté de platanes. C'était désert et lugubre.

Les rafales de vent étaient telles, parfois, qu'elles le déportaient. Même avec sa bouche enfouie dans le col de la parka, il perdait le souffle. Ses yeux larmoyaient. Chaque pas lui demandait un effort considérable. Il n'irait pas bien loin comme ça, il se dit encore.

Il aperçut l'enseigne d'un hôtel, Le Bristol. Il se fixa comme but d'arriver jusque-là. Il fallait qu'il s'arrête, qu'il respire.

Sur l'avenue, plusieurs bars étaient encore ouverts. Rico s'engouffra dans le premier. La Régence. La salle baignait dans une lumière jaune et crue. Il posa son sac et s'assit. Il haletait. Un serveur fut sur lui presque immédiatement.

— Pression, commanda Rico.

En salle, il n'y avait, avec lui, que sept clients. Tous des hommes seuls. Il alluma une cigarette et les yeux fixés sur la rue, il formula l'espoir que cette brasserie ferme tard. Le plus tard possible. Avec l'aide de la bière, il pouvait tenir la nuit. À la pendule, il était minuit et demi. Il avait cinq heures à tuer, ou quelque chose comme ça, jusqu'au premier train.

— Dix-huit francs, dit le garçon en posant le demi sur la table.

— Dix-huit francs ! Le demi.

— Tarif de nuit.

— Vous fermez à quelle heure ? demanda Rico.

Le serveur haussa les épaules.

— Quand le patron le dira. Si ça tenait qu'à moi, on serait déjà fermé, il dit en rendant sa monnaie à Rico. Je serais mieux dans mon lit.

— Sûr, approuva Rico.

Il avala une gorgée avec quatre Doliprane, le regard à nouveau perdu sur la rue. C'est alors qu'il vit la fille traverser. La tête rentrée dans les épaules, les mains dans les poches. Minijupe en cuir moulante, collants rouges, assortis au chemisier qu'elle portait sous un blouson en daim ouvert. Ses cheveux longs volaient dans tous les sens, lui masquant le visage.

Devant le bar, elle redressa les épaules, renvoya ses cheveux en arrière d'un coup de tête rageur, puis elle longea la terrasse vitrée en regardant un à un les clients qui se trouvaient à l'intérieur. Arrivée à la hauteur de Rico, elle le dévisagea. Il y avait comme de la fureur dans ses yeux. Rico lui sourit, sans savoir pourquoi. La fille continua d'un pas tranquille. À croire que le mistral ne l'incommodait pas.

Rico alluma une autre cigarette et se mit à penser à cette fille. À la rage qu'il avait lue dans ses yeux. Une pute, sans doute. Mais qui ne se résignait pas à l'être. Ou qui était encore trop jeune pour se résigner à croire que sa vie ne serait que ça, se faire mettre par des tas de types. Il ne lui donnait pas plus de vingt-cinq ans.

Rico était maintenant le seul consommateur attablé. Il venait de commander un second demi quand il vit la fille repasser devant lui, sur le trottoir. Elle entra dans le bar, et alla s'asseoir à une table, pas loin de la sienne.

— Sale temps, hein ? lui dit le garçon.

— Un putain de temps, tu veux dire !

Sa voix était lasse. Avec un accent que Rico ne sut pas définir.

— Tu veux un café ?

— Un cognac. J'en ai ma dose, des cafés.

— On ferme dans pas longtemps, tu sais.

— Ouais, j'imagine.

Elle alluma une cigarette et croisa ses jambes. Le regard de Rico s'attarda sur elle. Il la voyait de profil. Son visage était allongé, mais avec de jolis traits. Des pommettes hautes. Des lèvres assez épaisses. Et une masse de cheveux blonds cendrés retombant sur ses épaules.

Elle tourna lentement son visage vers Rico et planta ses yeux dans les siens. Des yeux d'un bleu très sombre, presque noir.

— Ça te plaît ?

— Quoi donc ?

— Ce que tu vois, tiens. Moi.

Rico sourit.

— Ouais… plutôt…

La fille se leva et vint s'asseoir à sa table.

— Tu veux venir à l'hôtel ? elle demanda en rejetant ses cheveux en arrière.

Le serveur déposa le cognac devant elle.

— Cinquante francs, il dit.

La fille ne bougea pas. Le regard du serveur alla de la fille à Rico.

— Ça fait cinquante francs, il répéta, à l'adresse de Rico cette fois-ci.

Rico compta cinquante francs en petite monnaie qui était dans sa poche. L'argent qui lui restait était dans sa chaussure gauche, et il n'avait pas l'intention de le sortir, comme ça, devant eux.

— Vous avez pillé une églìse ou quoi ? dit le serveur, amusé, en le regardant faire.

— Non, il répondit. Juste fait la manche.

Le serveur ramassa les pièces et s'en alla.

— Tchin, dit la fille en levant son verre.

144

Elle avala la moitié de son cognac les yeux fermés, sans respirer.

— Après, tu te sentiras mieux.

— Après quoi ?

— Après l'hôtel. Si tu veux venir. C'est pas loin. Rue Aubanel… C'est à deux pas. Je te fais deux cents balles la passe. Avec la chambre.

— Je crois pas…

Rico lut la colère dans ses yeux.

— J'ai un truc qui cloche ?

— Non, non… Rien… Mais…

Elle se pencha vers lui, et il sentit ses cheveux frôler sa joue. Ils avaient une odeur d'encens.

— Cent balles. Je te suce pour cent balles. J'ai un coin tranquille pour ça.

— J'ai pas de thune à foutre en l'air, dit Rico assez sèchement.

La fille se raidit. Ce n'était pas gentil de sa part de dire ça comme ça. Mais il voulait qu'elle arrête son cirque. Il aurait juste voulu qu'ils bavardent. Elle avala le reste de cognac et se leva.

— Je perds mon temps, avec toi ! Pauvre cloche va !

Elle se dirigea vers la porte, se retourna vers le serveur qui les observait depuis quelques instants :

— Salut, Max !

— Salut, beauté.

Rico suivit la fille des yeux. Une rafale de vent la cloua sur place au moment où elle sortit. Elle rentra la tête dans les épaules, comme tout à l'heure, et elle traversa la rue d'un pas décidé. L'instant d'après, elle avait échappé au regard de Rico.

— On ferme, lança le serveur.

Rico se leva lentement. Il était à peine une heure. Il aurait bien bu une autre bière, là, au chaud, peinard. Les lumières du bar s'éteignirent dès qu'il fut dehors. Comme il ne savait toujours pas où aller, il traversa, comme la fille, et remonta l'avenue déserte.

Il croisa la rue Aubanel. Une rue étroite et sombre. Il s'y engagea. À la recherche de cet hôtel dont la fille avait parlé. Là où elle faisait des passes à deux cents balles, chambre comprise. Peut-être qu'on lui louerait une chambre pour quelques heures. Il en était venu à cette idée, qu'un bon lit lui ferait du bien. Il se sentait épuisé. Il était prêt à claquer cent francs pour dormir.

Hôtel meublé. Chambres à la journée, à la semaine, au mois. Il était devant un vieil immeuble décrépi. Toutes les lumières étaient éteintes. Sonnez, était-il écrit au-dessus d'un bouton noir de crasse.

— Tu me suis ou quoi ?

La voix de la fille. Il se retourna, elle était là. Le dos appuyé contre le mur, sur le trottoir d'en face. La tête rentrée dans les épaules. Les deux mains au fond de son blouson qu'elle avait fini par boutonner.

— Je me disais que là, pour dormir deux trois heures…

— Ah ! Je croyais vraiment que tu me suivais.

Et elle partit vers le haut de la rue, avec moins d'énergie, constata Rico, qu'en sortant du bistrot.

— C'est pourri, là-dedans, elle ajouta sans se retourner.

Rico lui emboîta le pas. Elle tourna la tête vers lui.

— Tu vois, tu me suis.

— Où tu vas ?

— Chez moi.

— On marche ensemble.

Elle s'arrêta net.

— Qu'est-ce que tu veux ?

— Rien. J'ai quelques heures à tuer, et je sais pas où me poser.

Elle se remit à marcher. Il la suivit. Ils prirent une rue, à droite, puis ils débouchèrent sur une place. Un type barbu, couvert d'un manteau en loques, était en train de sortir d'une poubelle d'une pizzeria des spaghetti rouges et gluants qu'il rassemblait dans une barquette en alu. Il leva les yeux à leur passage, puis il replongea la tête dans la poubelle.

Le mistral, maintenant, ils l'avaient dans le dos. Et la fille avait accéléré le pas. Rico n'arrivait plus à la suivre. Il s'essoufflait à marcher si vite. Elle se retourna.

— Tu viens, oui ?

Ce vent l'épuisait. Il lui sembla que chaque rafale entrait dans son crâne, pour mieux le glacer de l'intérieur.

— Tu vas trop vite. Je peux pas suivre.

— Ben, on est pas rendu. Parce qu'il y en a pour un bon quart d'heure jusque chez moi.

15

Éperdument, comme frère et sœur.

Chez elle, c'était une ancienne bonneterie. Rue des Fourbisseurs, ainsi que Rico avait pu le lire sur la plaque. Il avait noté le nom au passage, machinalement. Comme si ça pouvait l'aider à se repérer dans cette ville. À suivre cette fille, il avait eu l'impression de tourner en rond. À cet instant, il aurait été bien incapable, seul, de retrouver l'artère principale – la rue de la République –, par laquelle il était arrivé.

— C'est là, elle dit, en s'arrêtant devant la vieille boutique.

Rico haletait d'avoir trop marché, et si vite, dans le vent froid. Il ne comprit pas immédiatement.

— C'est là, elle répéta. Là-dedans que j'habite.

De gros volets de bois, protégeant la devanture, étaient tirés. Vu leur état, ils n'avaient pas dû être ouverts depuis des lustres. Leur vernis s'écaillait, comme la peinture des lettres où l'on pouvait encore lire : *Au bon chic provençal – Maison fondée en 1867.*

La fille s'engouffra dans l'immeuble, par une petite porte à droite de la boutique. Elle réapparut presque aussitôt.

— Alors quoi, tu viens ?

Rico la rejoignit. Il était un peu dépassé. Il avait

hâte de poser son sac. Et de dormir. Avant que la douleur, qui commençait à lui picoter le dos, ne se réveille vraiment et l'empêche de se reposer.

— Pousse la porte. La serrure est cassée, mais je préfère pas qu'elle reste ouverte. On ne sait jamais. Il n'y a qu'un couple qui habite l'immeuble, au second, et c'est des vieux.

On entrait dans la boutique par ce qui avait dû être la réserve. Un couloir bouffé par des étagères, maintenant vides, qui s'élevaient jusqu'au plafond. Sur l'une d'elles, la fille attrapa une bougie et l'alluma.

— Attends. Je vais éclairer, elle fit, en partant avec la bougie.

La lumière se répandit dans la boutique. Une lumière faible. Celle d'une ampoule nue, qui pendouillait au bout d'un fil au-dessus d'une vieille banque en bois.

— Romantique, non ? ironisa-t-elle.

Contre un mur, par terre, un petit matelas avec une paire de couvertures de l'armée. Une valise en toile, à côté du lit. Dessus, un livre épais, à la couverture blanche jaunie. Au centre de la pièce, un vieux radiateur électrique à filaments. Et c'était tout.

— J'ai connu pire, répondit Rico.

— Ouais... Moi aussi.

Elle haussa les épaules, puis se baissa et tourna le bouton du radiateur.

— Mets-toi à l'aise. Je reviens.

Elle disparut dans le couloir.

Rico se délesta de son sac à dos, puis il enleva sa parka et la posa soigneusement sur la banque en bois. Le radiateur émettait une série de craquements en se réchauffant, tandis que sa résistance virait au rouge. Il commença à sentir la chaleur et, après cette marche dans le vent froid, cela l'apaisa. Des poches du sac, il sortit les six canettes qui lui restaient. Il en décapsula une et s'envoya une longue gorgée de bière avec quatre Doliprane.

Il parcourut de nouveau la pièce du regard. C'était aussi sinistre, et désolant, que sa planque à Paris. Mais il y avait l'électricité, et le chauffage... Quelle drôle de fille, songea Rico. Les prostituées, s'était-il imaginé, avaient forcément un chez-soi. Même si elles étaient maquées, et dépouillées de presque tout leur fric par leur souteneur. Pas elle, et cela l'intriguait. Mais il était trop épuisé pour y réfléchir. Et puis, quelle importance ?

Ses yeux s'arrêtèrent de nouveau sur le bouquin, posé sur la valise. Rico ne put s'empêcher de le prendre dans ses mains. Les livres lui rappelaient Titi. Il s'en trimballait souvent un dans la poche, trouvé dans une poubelle ou acheté chez un bouquiniste. Le dernier s'appelait *Le Mas Théotime*. C'était d'Henri Bosco. Rico s'en souvenait parfaitement, parce que Titi n'avait pas eu le temps de le lui raconter.

Celui-ci sentait l'humidité et la poussière. Une odeur particulière. Saint-John Perse. *Œuvres poétiques,* lut-il sur la couverture. Il le feuilleta et tomba sur une page où quelques lignes étaient encadrées.

> *Une race nouvelle parmi les hommes de ma race, une race nouvelle parmi les filles de ma race, et mon cri de vivant sur la chaussée des hommes, de proche en proche, et d'homme en homme,*
> *Jusqu'aux rives lointaines où déserte la mort !...*

Il referma le livre, pensif. Les mots étaient beaux, mais leur sens lui échappait. Il le reposa délicatement sur la valise, soudain intimidé. Il s'assit par terre, le dos appuyé contre la banque en bois. Il défit ses chaussures et allongea ses jambes en direction du chauffage, la plante des pieds tournée vers lui. Il alluma une cigarette et resta ainsi, l'esprit vide.

Le bruit d'une chasse d'eau le sortit de sa torpeur. La fille revint dans la pièce. Elle s'était démaquillée et avait enfilé un survêtement noir.

— Les chiottes, c'est par là. Y a aussi un lavabo.

— Tu veux une bière ?

— Une gorgée, oui.

Il lui tendit la canette. Elle avala une petite rasade, puis une autre et la lui rendit.

— Je suis vannée, elle soupira, en se laissant tomber sur le matelas.

Elle ouvrit la valise, attrapa une boîte métallique, un paquet de tabac et commença à se préparer un joint.

— C'est quoi ton nom ? elle demanda, en redressant la tête.

— Rico. Et toi ?

— Mirjana.

— C'est d'où ?

— Bosnie. Je viens de Bosnie.

Rico rassembla dans son esprit ce qui lui restait de souvenirs de cette guerre. Sarajevo assiégée. Quelques images terribles. Des mots, comme massacres de civils, déplacements de population, épuration ethnique... Peu de choses. 1993, c'était l'année où Malika l'avait laissé tomber. La totale dégringolade pour lui. La rue.

Il regarda Mirjana. Tête baissée, les cheveux devant les yeux, ses doigts mélangeant méticuleusement l'herbe au tabac. Rico essaya d'imaginer tout le chemin qu'elle avait dû parcourir pour arriver jusqu'ici. De l'horreur à la misère.

Du plus pire de la vie au moins pire de la vie. Mais le pire, toujours.

L'enfer. La rue.

Mirjana fit une torsade au bout de sa cigarette, puis elle l'alluma, aspira profondément avec un plaisir évident, et bloqua sa respiration quelques secondes. Les yeux fermés. Elle relâcha la fumée. Leurs regards se croisèrent. Le sien semblait déchiré.

— Tu en veux ? elle lui demanda.

Il secoua la tête. Rico n'avait jamais fumé d'herbe. Ni jamais absorbé une drogue quelconque. À peine s'il avait mâché du kat lorsqu'il était à Djibouti. Pour frimer, avec les copains. Avant d'aller traîner dans le quartier des putes, derrière la place Rimbaud. Mais fumer un pétard, pour le plaisir, était une peur qu'il n'avait jamais surmontée.

— Je reste à la bière, il plaisanta.

— Je fume, c'est tout. Rien d'autre, elle précisa. Va pas croire.

Elle souffla lentement une fumée bleue au-dessus de sa tête. Ses yeux suivirent les volutes, puis revinrent à Rico.

— J'ai besoin de ça, après… Ça me détend.

— T'as beaucoup bossé ?

La question lui avait échappé. Il était gêné de l'avoir posée. Mais c'était une manière d'aller vers elle. La plus directe. La plus simple aussi.

Dès que leurs regards s'étaient croisés, elle dans la rue, lui dans le bistrot, il s'était senti proche d'elle. Comme frère et sœur. Éperdument.

Rico ne put jamais m'expliquer ce qu'il avait alors ressenti. Quand il reparlait d'elle, de Mirjana, il répétait : « Frère et sœur, éperdument, tu comprends ça ? »

Il voulait dire, je crois, au-delà de cette fraternité de sang qui fait les familles. Il pensait à une autre fraternité. Celle qui réunit, entre rage et désespoir, les êtres rejetés. Les exclus. Moi, en tout cas, c'est ainsi que j'ai vécu avec lui, comme père et fils, éperdument.

Mirjana ricana.

— Tu parles ! Deux passes dans toute la journée. Et j'ai sucé un mec dans un parking.

Elle regarda le bout incandescent de son joint.

— Je préfère quand je me fais tringler toute la journée. Au moins, je pense pas, et je me fais du fric.

Rico la regardait avec tendresse. Des cernes, presque violets, creusaient son visage. Ses yeux, comme perdus au fond de leur cavité, étaient sans brillance. Elle lui paraissait plus âgée que lorsqu'il l'avait observée dans le bar. Plus fragile. Seules ses lèvres, quand elle parlait, rendaient de la jeunesse à son visage. Mais c'était comme involontaire. Ses lèvres, son sourire parfois, appartenaient à un monde que ses yeux semblaient avoir définitivement quitté.

— Tu t'endors, toi, elle dit en souriant.

Les yeux de Rico se fermaient. L'effet conjugué de la fatigue, de la chaleur et des Doliprane.

— Ouais… Ce serait bien que je dorme un peu.

— On va s'arranger, tu vas voir.

Elle écrasa ce qui restait de son joint et défit les couvertures.

— J'ai mon duvet, fit Rico en le sortant de son sac. Il le déroula par terre.

— Tu vas quand même pas dormir comme ça ! Viens là.

Elle se glissa sous les couvertures et se serra contre le mur.

— Éteins, s'il te plaît. Le chauffage aussi.

Rico se glissa ensuite dans son duvet et s'allongea.

Il espéra que le sommeil vienne très vite. Même séparés comme ils l'étaient par les couvertures et le duvet, Rico était assez mal à l'aise. Cela faisait tant d'années maintenant qu'il n'avait plus dormi à côté d'une femme. Il n'avait aucun désir de Mirjana, mais elle ne lui était pas tout à fait indifférente.

— Ça va ? elle demanda.

— Ça va.

Leurs voix résonnèrent comme si elles venaient d'ailleurs. D'un autre monde. Des ténèbres. Du froid. Un monde où forcément cela devait aller. Tête de lézard, pensa Rico avant de s'endormir. Il revit Félix. Et les seins de Sophie Marceau, pour veiller sur lui, sur ses rêves. Il se demanda comment étaient ceux de Mirjana. Cette dernière pensée le fit sourire.

Comme c'était souvent le cas maintenant, depuis la mort de Titi, Rico ne dormit que peu de temps. Une petite heure. Le temps de se vider de sa fatigue dans un sommeil léger. Un cauchemar le réveilla.

Il jouait au flipper. Mais le tableau n'affichait pas des points. Seulement des pays, des lieux qu'il ne connaissait pas. Des villes qui n'existaient pas. Et des horaires qui défilaient très vite, comme sur la roue d'une loterie. Il fallait taper sur les bonnes cibles pour lire une destination, un numéro de train et son heure de départ. Rico s'énervait. Jamais Marseille n'apparaissait au tableau.

Derrière lui, il entendit rire. C'était le contrôleur. Le flipper était dans le TGV.

— Tu n'y arriveras jamais, rigolait le contrôleur. Jamais...

— Je t'emmerde !

Rico secoua le flipper. Tilt. Le contrôleur fut gagné par le fou rire.

— Jamais. Jamais...

Rico l'attrapa par le cou et se mit à le secouer aussi fort que le flipper, puis il le poussa brutalement en arrière. Le contrôleur dégringola les marches du TGV, soudain aussi hautes qu'un gratte-ciel. Il alla s'écraser sur le quai avec la lenteur et la légèreté d'une feuille morte.

— Merde, fit Dédé. Tu lui as cassé les reins.

Monique s'approcha, catastrophée.

— Perpète, se mit-elle à gémir. Pour un mort, c'est perpète. Perpète.

Tous les trois regardaient le corps du contrôleur, dont les bras et les jambes bougeaient comme un gros scarabée qu'on aurait mis sur le dos. Des gens s'approchaient d'eux. Ceux que Rico avaient croisés le matin à Lyon-Part Dieu. Puis les zonards de la gare d'Avignon. Leur chien s'était mis à flairer l'entrejambe du contrôleur.

— Je vais chercher Félix, dit Dédé. Y va emprunter la camionnette. Faut qu'on emporte le cadavre.

— Et le flipper, ajouta Rico. Faut emporter le flipper. J'en ai besoin. C'est pour le train, tu comprends. L'heure du train. Du train. Le train...

Rico se redressa sur le matelas, comme mû par un ressort, transpirant et hors d'haleine. À tâtons, il chercha ses cigarettes, qu'il avait posées près de lui. Il se tourna sur le côté et en alluma une. Il tira dessus doucement pour ne pas tousser. Derrière lui, Mirjana bougea.

— Tu me donnes une taf ? elle demanda.

— Tu dors pas ? il répondit en lui tendant la clope.

— Non. Trop de trucs dans ma tête. Ça tourne, ça tourne et j'ai peur de faire des cauchemars.

— J'en fais tout le temps. Un de mes potes, Titi, il

disait que ça prouvait qu'on voulait vivre. Qu'on était encore vivant.

Mirjana eut un petit rire.

— Moi, je suis morte, ça fait longtemps. Depuis que je les ai vus tuer mes parents. C'est ça que je vois. Tout le temps. Qu'on les tue. Juste cet instant.

Elle se retourna.

— Mais je le flinguerai, elle dit.

— Qui ça ? demanda Rico.

— Celui qui les a assassinés. C'était un ami. On le recevait à la maison. Avec sa femme.

Rico ne comprenait pas grand-chose à ce que racontait Mirjana. Il voulut poser une autre question, mais elle continua, très bas, sur un autre ton :

— J'ai rêvé de toi. J'ai rêvé que tu errais comme moi dans l'obscurité. Et puis nous nous sommes rencontrés.

— Qu'est-ce que tu racontes ? demanda Rico, surpris de ce qu'il venait d'entendre.

— Rien… C'est dans un livre. Un livre que j'ai lu il y a longtemps. Ça vient de me revenir, c'est drôle. Donne-moi ta main.

Rico éteignit sa cigarette, puis il avança sa main vers elle. Mirjana la prit et la posa sur sa poitrine. Côté cœur. Malgré l'épaisseur du tissu du survêtement, Rico devina le renflement du sein. Il déploya ses doigts pour mieux le sentir peser dans sa main.

— Oui, elle murmura. Je savais que je te rencontrerais…

Les doigts de Rico s'accrochaient au sein de Mirjana. Il sentait battre son cœur. Chaque pulsation résonnait dans son corps, sa tête. Jusqu'à son cœur à lui. Mirjana posa sa main sur celle de Rico.

— On va peut-être pouvoir dormir.

16

On ne sait plus pleurer sur le bonheur.

Mirjana affirma :

— Pour moi, c'est moins douloureux de me sentir étrangère ici que dans mon propre pays.

Rico hocha la tête, et il se mit à réfléchir à ce que venait de dire Mirjana. Elle savait trouver les mots justes quand elle parlait. Ce qui ne changeait rien à rien. Ni à la connerie ni à la saloperie humaines.

Ils étaient, selon Mirjana, environ six cent mille Bosniaques éparpillés aux quatre coins du monde. La plupart issus de mariages mixtes. Tous échoués dans un pays ou dans un autre, au hasard des opportunités. Avec plus ou moins de chance, et de bonheur.

Derrière ses paupières, un instant baissées, quelque chose de sombre se profila, que Rico ressentit. La guerre, pensa-t-il. Mais ce mot n'avait aucun sens. Ce n'était qu'un terme abstrait, qui passait sous silence les drames, les déchirements. Et la mort. La mort des êtres chers. La mort des amis, des copains. La mort des voisins.

— Il n'y a pas une souffrance bosniaque, une souffrance serbe, une souffrance croate, lui expliquat-elle. C'est la même souffrance, Rico, tu comprends ?... La même souffrance. Commune à tous. Une même douleur...

Le soleil, maintenant, cognait contre les vitres du café. Ses rayons, un instant, s'accrochèrent à la chevelure de Mirjana et auréolèrent son visage de lumière.

— Et pourtant, tu vois, pour ce que j'ai pu entendre ici ou là, ce qui prédomine aujourd'hui chez moi, en Bosnie, c'est la haine. Chacun se croit obligé de haïr les autres communautés pour préserver la sienne... Moi, je n'ai pas envie de vivre comme ça. Ni de me demander, en marchant dans la rue, si je dois saluer Untel ou lui cracher au visage... Je me fous d'être Bosniaque ou Serbe. Ou Croate. Ce que je veux...

Elle releva ses yeux vers Rico. Et son regard s'accrocha au sien :

— Ce que je voulais, c'était être heureuse.

Mirjana avait emmené Rico dans un petit bar, place des Carmes. Il était à peine dix heures. La rue, quand ils étaient sortis, était relativement déserte, sans doute à cause du mistral toujours aussi violent et froid. Le ciel était d'un bleu pur.

— Quelle lumière ! s'était écrié Rico.

Et il s'était planté là, comme un gamin, au milieu de la chaussée, ébloui par cette lumière qui dégringolait du ciel, et qui l'obligeait à cligner des yeux.

La lumière du Sud.

Une forte bourrasque glacée l'avait déporté de quelques mètres. Il s'était mis à rire, et les bras ouverts, il avait accueilli une nouvelle rafale de vent par une pirouette.

— Eh ! tu viens ! avait crié Mirjana.

Elle l'avait attrapé par le bras pour l'entraîner vers le haut de la rue.

— Tu es fou !

— Tu n'imagines pas ! Ça fait des mois que je n'ai plus vu un ciel aussi bleu. Le soleil…

En marchant, la main de Mirjana était venue prendre celle de Rico. Il lui avait jeté un regard, à la dérobée, mais, tête baissée, face au vent, elle avait continué d'avancer comme si de rien n'était.

À peine levée, Mirjana avait rassemblé ses cheveux sous un large béret rouge, puis, sur son survêtement, elle avait enfilé un manteau gris, qui lui arrivait aux mollets.

— On va boire un café.

Toute droite, les mains dans les poches, elle ressemblait à une collégienne qui a vieilli trop vite. Rico avait senti couler en lui une chaleur douce. Il ne lui manquait plus que des lunettes, il avait pensé. Un sourire était venu sur ses lèvres.

— Quoi ? elle avait demandé.

— Rien…

Comment lui dire ce qu'il ressentait ? Cette émotion, là, tout au fond de lui. Rico ne savait plus rien de ces choses, qui appartiennent aux sentiments. Les mots, les mots de l'amour, les je t'aime et tous les autres, mièvres, puérils, qu'on invente, s'étaient lentement effilochés. Ils n'évoquaient plus que des souvenirs. Des lambeaux. Et leur chair, la chair des mots d'amour, s'était putréfiée au fil des ans. Que voulait dire aimer sans les baisers, les caresses, sans les plaisirs que les sexes se donnent l'un à l'autre, s'offrent jusqu'à l'épuisement, jusqu'à ces retranchements, secrets, ultimes, où la parole s'annihile en un cri et que perlent les larmes ? « On ne sait plus pleurer sur le bonheur », avait murmuré Julie, la dernière nuit qu'ils avaient passée ensemble.

Rico avait eu envie de lui dire ça, à Mirjana. Juste ça. Mais debout devant elle, les mains bien au fond de sa parka, il fut incapable de sortir un mot. Incapable même de lui avouer, simplement, qu'il la trouvait belle.

— Rien, il avait répété.

Rico s'était réveillé tôt. Mirjana était tournée vers lui. Une faible lumière éclairait la pièce. Il était resté quelques instants à regarder son visage. Même dans son sommeil, il exprimait toutes les tensions qui étaient en elle. Elle dormait d'un sommeil sans repos. Il avait eu envie de poser sa main sur son front, pour l'apaiser. Mais il n'en avait rien fait. De peur de la réveiller. Rien ne pressait. Les journées devaient être pour elle, comme elles l'étaient pour lui, déjà bien assez longues.

Il s'était installé le dos contre un mur, pas loin de la porte des chiottes qui, ouverte, laissait entrer un peu plus de clarté. Il avait bu une bière et fumé plusieurs cigarettes en feuilletant le livre de Mirjana, s'arrêtant sur les passages soulignés au crayon.

> *La nuit t'ouvre une femme : son corps, ses havres, son rivage ; et sa nuit antérieure où gît toute mémoire…*

La poésie de Saint-John Perse, une nouvelle fois, l'éblouit. Même si son sens lui échappait, le dépassait, sa musique le troublait. Une à une, il s'était répété chaque phrase. Il se les était murmurées, chuchotées, comme s'il avait voulu les apprendre par cœur. Et, en se les récitant, il avait deviné que Mirjana avait mâchonné chacune d'elles dans sa bouche. Et que sur ses lèvres, les mots du poète étaient devenus aussi les siens. À un moment de sa vie, ils avaient dû trouver leur sens. En elle.

Puis Rico avait repensé à ce que Mirjana lui avait raconté la veille. Si peu d'elle, de sa vie. Mais avec tant de rage. Et tant de désespoir. Arrivé à un certain point, avait songé Rico, on ne peut plus revenir en arrière. Parce qu'on a vu des choses que personne n'a vues, vécu des choses que personne n'a vécues. On est alors condamné.

Condamné, c'était peut-être ça la seule réponse. La réponse à tout. Ne plus vouloir revenir dans cette société, ce n'était pas de l'impuissance. Seulement une grande fatigue à vivre après tant d'heures et d'heures de misère. La mort de Titi. Les colères de Dédé. Les silences de Félix. Pourquoi tenter de remonter à la surface des choses ?

Quand Mirjana avait ouvert les yeux, Rico tenait le livre sur ses genoux et il la regardait, pensif. Il était resté ainsi, à la regarder dormir, en buvant une autre bière et en fumant lentement.

— Ah ! Tu es là, elle avait dit, comme rassurée de le voir.

— Oui, avait-il répondu. Je suis là.

Et maintenant, il l'écoutait.

Le livre de Saint-John Perse, c'est parce qu'elle avait fait des études de littérature française. Elle avait écrit un mémoire sur ce poète. Ce bouquin, elle y tenait aujourd'hui plus qu'à tout. Elle s'y accrochait comme à une bouée de secours depuis ce jour où elle avait été obligée de fuir Sarajevo.

— Si j'ai encore la force de vivre, c'est grâce à ces poèmes. Certains, je les connais par cœur.

Mirjana attrapa son portefeuille, dans son manteau, et en sortit une photo couleur, aux coins écornés. La partie droite était coupée. Elle la tendit à Rico.

— Ç'a été notre dernière réunion de famille. Le lendemain, les obus serbes commençaient à tomber sur la ville.

Elle se pencha par-dessus la table, et du doigt, elle lui montra ses proches.

— C'est mes parents, là. Manja et Miron. Là, ma tante Leopoldina. Lui, c'est mon frère Mico. Et lui c'est Sélim. C'était mon fiancé. Ils m'avaient demandé de réciter un poème, c'est pour ça que je suis debout. C'est Haïdi, la femme de Mico, qui a pris la photo…

Les yeux de Rico étaient rivés à ce cliché. Comme hypnotisés par le bonheur qui s'en dégageait. L'image le renvoyait à d'autres images, à d'autres repas de famille. Ses doigts se mirent à trembler.

— C'est tout ce qui me reste d'avant. Cette photo, et ce livre.

C'était hier, pensa Rico. Et plus rien n'existe aujourd'hui. N'existera plus. Plus jamais. Pas plus pour elle que pour moi. Le monde se dissout, mais pas le mal qui le régit. L'ordonne.

Mirjana se pencha encore plus vers Rico. Elle était presque couchée sur la table. Elle leva ses yeux sombres vers lui, regard déchirant, et, ses lèvres presque contre les siennes, elle se mit à réciter tout bas :

> — *Je vous connais, ô monstres ! Nous voici de nouveau face à face. Nous reprenons ce long débat où nous l'avions laissé.*
>
> *Et vous pouvez pousser vos arguments comme des mufles bas sur l'eau : je ne vous laisserai point de pause ni répit.*
> *Sur trop de grèves visitées furent mes pas*

lavés avant le jour, sur trop de couches
désertées fut mon âme livrée au cancer du
silence.

Leurs regards restèrent ainsi, comme scellés. Puis Mirjana se recula lentement, sans quitter Rico des yeux.

— Mes parents, ils ont été tués trois jours après. Le 6 janvier 1993. Les Serbes ont débarqué le soir dans notre appartement. On habitait Skenderia, au cœur du vieux Sarajevo. Comme ils refusaient de quitter la maison, ils... Ils ont été traînés dehors, et... « On ne transplante pas les vieux arbres » aimait dire Miron. Il ne serait jamais parti de Bosnie, mon père. Et ma mère ne l'aurait jamais abandonné...

— Mais pourquoi ? pourquoi ?

— Pourquoi ?

Mirjana haussa les épaules.

— Tout ça... Ça n'a plus d'importance, maintenant. Les Bosniaques musulmans ont fait pareil, plus tard...

Elle alluma une cigarette. Rico en fit autant. Ils fumèrent en silence. Parfois leurs regards se croisaient. Finalement, Mirjana poursuivit :

— Sélim, tu vois... Il s'est enrôlé dès le premier jour. Je crois qu'il a pu commettre le pire, lui aussi. Comme n'importe qui en Bosnie. Tous étaient prêts pour le pire, depuis le triomphe des partis nationalistes aux élections de 1990... Quelle folie ! Je ne comprendrai jamais ça. Mon père répétait souvent que des choses arrivent pour des raisons sur lesquelles nous ne pouvions pas peser. Cela m'énervait de l'entendre parler ainsi. Je croyais que c'était par lâcheté, par complaisance. Mais j'ai compris ce qu'il voulait dire. On ne peut rien contre l'incompréhensible.

— Et ton frère ?

— Il s'était réfugié dans un chalet qu'on avait dans un petit village. À Pazaric, sur le mont Igman. Mico, il était du genre têtu, lui aussi. Il ne voulait pas partir. Fuir. C'est là qu'ils l'ont arrêté. Ils l'ont emprisonné dans un gymnase. Huit mois... Puis ils l'ont relâché. Depuis... Même Haïdi n'a plus de ses nouvelles.

— Elle est toujours là-bas ?

— Non. En Croatie. Ses parents sont Croates, à Haïdi. Je l'ai eue au téléphone à Noël. Ça avait l'air d'aller.

Elle eut un petit sourire.

— Je l'appelais d'une cabine. Elle parlait sans me laisser placer un mot. « Viens... Viens... », elle répétait. Je voyais les unités défiler, et puis tout d'un coup, plus rien... Le silence. Je suis restée là, devant le combiné, avec mes larmes. On ne s'est même pas souhaité un joyeux Noël... Haïdi...

Mirjana s'arrêta brusquement de parler. Elle regarda autour d'elle. Comme étonnée d'être là, dans ce bistrot. Dans la salle, qui s'était remplie, flottait maintenant une agréable odeur d'anis.

— Dis, tu ne veux pas manger un truc ? lui demanda Mirjana. Un sandwich ? Un croque-monsieur ?

Rico n'avait pas faim. Mais il voulait bien un pastis.

Ils restèrent à parler et à boire, elle des cafés, lui des pastis, jusqu'à ce que Mirjana se décide à aller bosser. « Faire la pute », elle avait dit.

— J'ai des dettes. Tu n'imagines pas ce que ça peut coûter, fuir, passer les frontières... Le plus cher, ç'a été pour gagner l'Italie...

Quelque chose dans sa voix sonnait faux, pour la première fois.

166

— J'ai besoin de cet argent. Je le dois à... à des passeurs albanais.

Rico ne connaissait rien à tout ça. Au commerce des clandestins. Mais ce qu'il savait, c'est que personne, jamais personne, ne faisait crédit à quelqu'un dans la merde. Il voulut en faire la remarque à Mirjana, mais il se ravisa. Une autre question lui trottait dans la tête.

— Qui c'est que tu veux tuer ?

— Dragan. L'ami de mon père. C'est lui qui conduisait les Serbes qui ont débarqué à la maison.

Mirjana prit son visage dans ses mains. Rico crut qu'elle pleurait, mais ce n'était que la fatigue. La fatigue de la douleur.

— Quand je me fais tirer... Tu vois, c'est le seul moment où je pense pas à tout ça. Je regarde le mec en train de suer pour se faire jouir, et je me dis que sa vie doit être plus dégueulasse que la mienne.

— Et quand tu le suces, tu penses quoi !

Les mots lui avaient échappé. Rico s'en voulut. Mais ça l'avait révolté que Mirjana puisse penser de telles choses. Lui, les flics, les vigiles, les contrôleurs, qui le faisaient chier en permanence, il n'arrivait pas à trouver des raisons à leurs actes. À leur pardonner. Cela relevait de la charité chrétienne. Et la charité, Rico, ça faisait belle lurette qu'il lui pissait au cul.

— Excuse-moi, il dit.

Les yeux de Mirjana avaient lancé des éclairs. Puis ils étaient passés du bleu sombre au bleu gris.

— Tu sais, je n'oublierai jamais ce moment. Quand les coups de feu ont retenti... Je revenais à la maison. J'ai vu Manja et Miron contre le mur. Les voisins qui s'avançaient. J'ai crié : « Dragan ! Non ! Non !... »

Elle alluma une autre cigarette, tira nerveusement dessus, puis elle fouilla dans la poche de son manteau. Elle tendit à Rico une douille de pistolet.

— J'en ai ramassé une… Une seule.

Sa voix était glaciale. Elle posa la douille sur la table, entre elle et lui.

— On ne pouvait pas m'humilier plus. Tout le reste… Les mecs qui me baisent, ils ne baisent qu'un cadavre. N'oublie jamais ça, Rico. Parce que je suis morte, moi aussi. Dragan, tu vois, c'était mon parrain.

— C'est pour ça qu'elle est coupée, la photo ? Que tu l'as coupée.

— Ouais…

Elle eut une moue de dégoût, puis d'une chiquenaude, elle fit rouler la douille sur la table, vers Rico.

— Mais je n'arrive pas à me sortir sa gueule de ma tête.

De retour dans la boutique, Mirjana partit aux chiottes enfiler les vêtements qu'elle portait la veille. Ils ne s'étaient pas dit un mot depuis qu'ils avaient quitté le café. Quand elle revint dans la pièce, coiffée, maquillée, Rico était en train de rouler son duvet.

C'est une autre femme qui était devant lui. Il ne put s'empêcher de la dévisager. Mieux qu'il ne l'avait fait, la veille, dans ce bar sinistre. Mais avec des yeux différents. Amoureux, si ce mot pouvait encore avoir un sens pour lui. Il n'aima pas cette femme-là.

Elle enfila son blouson.

— Ça te plaît, comme ça, on dirait ?

— Je dirais pas ça, non…

— Et quoi alors ?

— Que tu devrais garder ton béret. Il te va bien, je trouve.

— Ah! Tu crois, fit-elle, surprise.

— Si je te le dis.

Ils étaient intimidés, maintenant.

— Tu ne veux pas rester encore cette nuit?

17

L'éternité ne dure qu'une nuit.

Après le départ de Mirjana, Rico se sentit perdu. Il resta debout, les bras ballants, dans la pénombre de la boutique. Elle lui avait demandé de l'attendre, et attendre, attendre une femme, cela ne lui était plus arrivé depuis des années.

Dans la rue, l'attente n'était pas un problème. Au contraire. Plus on perdait de temps – à faire la manche, ou pour pouvoir manger, obtenir un papier… –, et mieux c'était. Du temps, Rico et tous les autres, ils en avaient à revendre, et chaque jour, ces paquets d'heures à épuiser, cela faisait beaucoup pour un seul homme.

Mais là… Les heures perdues le seraient à jamais. Elles ne reviendraient plus. Rico avait conscience de cela. Que le temps lui était compté. Ici, avec Mirjana.

— À quoi tu penses ? lui avait-elle demandé, à brûle-pourpoint.

Ils étaient encore au bistrot. Mirjana avait réussi à décider Rico à manger quelque chose. Ils avaient commandé une omelette au fromage pour lui, des spaghetti bolognaise pour elle. Et du vin rouge du pays, en pichet.

— À toi. À cette rencontre.

— Et alors ?

Il avait haussé les épaules.

— C'est étrange ce que tu as dit cette nuit. Cette phrase...

Mirjana avait fermé les yeux et répété, sur le même ton, avec la même tendresse :

— *J'ai rêvé que tu errais comme moi dans l'obscurité. Et nous nous sommes rencontrés...* C'est dans un roman, d'un auteur américain, mais je ne sais plus qui...

— Que tu t'en sois souvenue, alors que j'étais là, ou parce que j'étais là, c'est ça qui me trouble.

Les yeux de Mirjana, soudain immensément grands, venaient de prendre la couleur du ciel, l'avaient captée. Et Rico avait envie de plonger en eux, et de se laisser emporter au plus profond d'elle, et de tournoyer dans son corps et dans son cœur. Cela lui aurait été plus simple que d'ordonner ses idées, de trouver les mots pour les formuler. Plus simple aussi que d'avoir à parler.

Il s'était rendu compte de ça, plus le temps passait et plus il lui devenait difficile de s'exprimer. Bâtir des phrases, les aligner les unes après les autres... Son vocabulaire se réduisait comme peau de chagrin. Il lui arrivait même de ne plus aller jusqu'au bout de ce qu'il était en train de raconter. Il cherchait un mot, ne le trouvait pas, et il perdait le fil de sa pensée.

Mais Mirjana méritait bien qu'il fasse des efforts. Sans doute, me dit un jour Rico, sans doute attendait-elle ça de lui, qu'il n'abandonne pas à la rue, à la misère de la rue, toutes ces choses qui étaient dans sa tête. C'est ainsi que Rico me parla chaque jour. Par fidélité à Mirjana.

Rico avait rempli leurs verres de vin. Puis il avait commencé, lentement. Le plus simplement possible.

— Tu sais, Mirjana, je ne crois pas au hasard. Ces derniers mois, j'ai fait cent fois ce rêve, que je te rencontrais... Enfin, une femme...

— Je lui ressemblais ?

— Non... non... Comment dire ? Cette femme...

Avec sa main, il avait fait le geste de balayer devant lui.

— C'était pas de l'ordre du fantasme. Tu vois ce que je veux dire. Pas pour...

— Pas pour se branler.

— Ouais, c'est ça, il avait souri. Cette femme était sans visage. Sans corps. C'était... Juste une voix. Douce. Chaleureuse. Mais pourtant je la voyais. Tu comprends ça ? C'était comme si je la voyais. Et elle souriait. J'imaginais ça, qu'elle me souriait... Et...

Il s'était arrêté net. Il venait de réaliser le sens de ce rêve. Cette femme était un fantôme. Le fantôme de ses nuits. Et ce fantôme le prenait par la main. Pour le guider. Le conduire. De l'autre côté. Dans une autre nuit. La voix disait : « Pourquoi tu ne souris pas ? Pourquoi tu ne veux pas me sourire ? » Et des mots encore qu'il ne comprenait pas.

C'est là qu'il se réveillait, toujours, couvert de sueur et grelottant. Il buvait, puis se rendormait. Il retrouvait la voix, toujours aussi caressante. Sa main se tendait à nouveau vers lui. Assommé par l'alcool, le noir se faisait dans son esprit, pesant. Aussi lourd que du béton. Aussi froid. Une nuit même, plein d'une vodka bon marché, l'humidité de l'obscurité lui était devenue palpable. Elle avait cette odeur particulière de la terre, fraîchement remuée, grouillante de vers.

Mirjana ne l'avait pas quitté des yeux. Mal à l'aise, il avait vidé son verre, d'un trait.

— C'est tout. Je... je ne sais plus.

La gêne qu'il venait d'éprouver avait paru se refermer sur elle-même et s'éloigner un peu de lui. Il avait relevé la tête vers Mirjana. Son regard était incrédule.

— Je ne sais plus, Mirjana.

Ses doigts avaient effleuré légèrement la main de Rico. Un frisson avait couru sur son bras, puis secoué son corps. Jusque dans ses os.

— Tu as de belles mains. Je les ai remarquées tout de suite.

Cette remarque avait désarçonné Rico. Ses mains étaient grosses, larges, aux veines saillantes. Calleuses et écorchées aussi. Des mains de traîne-misère.

— À quoi bon se raconter des histoires. Je te l'ai expliqué, Rico, je suis comme si j'étais morte. Toi, je ne sais pas où tu es mort. Ni quand. Mais tu es comme moi, ça, je le sais. On se trimballe avec nos vieilles peaux. Nous ne sommes plus que des emballages vides.

Des images alors dans la tête de Rico. À toute vitesse. Sophie claquant la porte. L'accident de voiture. Les larmes de Julie. L'appartement déserté par Malika. Sa seconde nuit dans la rue. Son corps roulant dans le caniveau. Le regard vide de Julien... Et puis, au ralenti, une dernière image s'était imposée. Titi sur une civière. Titi qu'on emporte. Et tout s'achève. Titi !

— Ouais, avait-il admis avec lassitude. C'est ça... Mais, avait repris Rico, on a encore un petit bout de chemin à faire. Une ultime chose à faire. Toi... aller flinguer ce type. Dragan...

— Je ne sais plus, Rico. J'y pense souvent, tu vois. Mais... Quand la douleur est trop forte, on a envie de tuer. On se répète ça : « Je vais le tuer. » Pour mettre un terme à la douleur. Pour épuiser la haine... Mais dans le fond, ça changerait quoi ? Ça changera quoi à la haine des uns et des autres ? Hein ? Tu peux me dire ? Des Bosniaques, des Serbes aujourd'hui. Des Serbes, des Albanais demain... Il y aura toujours des Dragan... Et des Sélim... Je ne retournerai pas là-bas.

Les yeux de Mirjana s'étaient rétrécis en deux points lumineux. Deux iris d'or.

— Je suis au bout de mon chemin, Rico. Ici avec toi.

Toute la lumière qui l'avait ébloui ce matin l'enveloppait de nouveau.

— Et toi ?

— Moi...

Il revoyait le visage de Léa. Et son corps. Dans le soleil couchant qui entrait par la fenêtre de son petit appartement, près du port. Il la revoyait, poussant ses cuisses en avant, à califourchon sur lui, son dos cambré, ses seins tendus...

— Je veux juste redonner vie à un souvenir. Un souvenir qui te ressemble, Mirjana.

Assis sur la cuvette des chiottes, Rico fumait lentement. Deux culottes de Mirjana séchaient, suspendues à un clou au-dessus du lavabo. Deux culottes toutes simples, blanches, en coton. Ça le fit sourire, Rico. Elle lui parurent toutes petites, ces culottes, presque enfantines, et il se demanda comment Mirjana pouvait y faire entrer ses fesses. Il sourit à nouveau, de l'incongruité de cette pensée.

Il jeta son mégot dans la cuvette, puis il enleva sa chaussure gauche et compta les sous qui lui restaient. Quatre cent quarante-deux francs. L'argent filait, il ne comprenait pas comment. Il recompta une nouvelle fois, puis essaya de se remémorer comment il avait dépensé autant de fric depuis son départ de la gare de Lyon avec Dédé. Il n'y arriva pas. Il lui manquait toujours l'explication d'une dépense. Finalement, il y renonça. De toute façon, la conclusion était évidente. Il lui faudrait bientôt envisager de refaire la manche. L'idée lui souleva le cœur. Aussi violemment que lorsqu'il lui avait fallu s'y résigner, la première fois.

Il repensa encore à Titi. À ses conseils, qui l'avaient aidé. Mais un jour, les conseils ne servaient plus à rien. Il le savait. Un dimanche, Rico avait aperçu Titi en train de mendier. Au marché d'Aligre, devant la halle. Traînant la patte, il allait vers les gens, la main tendue. Pitoyable.

— Eh ! Jacques, t'aurais pas un petit soleil pour moi ?

Rico s'était vu en Titi comme s'il s'était regardé dans une glace. Il lui avait fallu du temps pour oublier cette image. Cette autre image de lui, un jour prochain. Du temps aussi pour retrouver le courage de faire la manche.

— T'étais passé où ? il lui avait demandé, quand Rico avait refait surface.

— Sur la Côte d'Azur, tiens.

— Ouais… Je vois. Ça va pas fort, quoi ?

— J'en peux plus de faire la manche. Ça m'écœure.

— Je vais te dire, Rico, lorsqu'un homme est à bout, il fait la manche, tandis qu'une femme, elle, elle se vend. Alors pense à ça, que l'humiliation que tu peux éprouver, c'est rien à côté de ce qu'elles doivent ressentir. Se faire mettre pour vivre, on peut même pas imaginer l'enfer que ça doit être.

— Mirjana, il murmura.

Il serra les dents. De colère. Contre lui. Contre l'humanité. Tous des enfoirés…

176

— Enfoirés ! il cria. Enfoirés, tous que vous êtes !

Avec rage, il plia trois billets de cent et les glissa dans sa chaussure, puis il sortit s'acheter de la bière et des clopes. Il ne voyait pas comment attendre le retour de Mirjana sans rien à boire.

Rico passa le reste de l'après-midi ainsi : à boire, à fumer et à somnoler sur le matelas, dans la pénombre de la boutique. Malgré ce dégoût de plus en plus fort des autres qui l'envahissait, il se sentait apaisé. Même ses souvenirs ne le faisaient plus souffrir. C'était comme si, dans sa tête, les choses avaient enfin fini par s'ordonner. Et que cet ordre donnait un sens à toute chose.

Tard dans l'après-midi, ou en début de soirée – il n'avait aucune conscience de l'heure –, il s'endormit en songeant aux petites culottes de Mirjana, alors que dans sa tête flottait ce vers de Saint-John Perse :

> *J'avais, j'avais ce goût de vivre chez les hommes, et voici que la terre exhale son âme étrangère.*

Mirjana le trouva en train de lire, assis sur le matelas, une couverture sur les épaules. Le cendrier était plein à craquer, à côté de six canettes de bière vides.

D'une main, elle tenait une boîte en carton, carrée et plate. De l'autre, une bouteille de vin rouge.

— Pizza ! elle dit en posant la boîte et la bouteille par terre. Et côtes-du-rhône !

Il se leva.

— Quelle heure il est ?

— Dix heures.

Elle enleva son béret, le lança rageusement vers

le matelas, puis elle s'alluma une clope. Elle était énervée.

— J'en ai ma claque. Ces cons, ils sont tous devant la télé. Y a un match, je savais pas. Marseille-Lens, je crois. T'imagines, un mec, il a voulu que je le suce dans sa bagnole, rien que pour pouvoir continuer à suivre son putain de match !

Rico la regarda. Non Titi, il se dit, nous ne saurons jamais rien de l'humiliation faite aux femmes.

— Connards ! elle dit encore.

Elle partit vers les chiottes. Quand elle revint, elle avait enfilé son survêtement. Son visage était démaquillé, et ses cheveux, brossés et tirés en arrière, étaient réunis en queue de cheval. Elle mit en route le radiateur.

— On mange, alors. J'ai faim.

Ils avaient vidé la bouteille.

— J'aurais dû en prendre deux, s'excusa Mirjana. Elle se préparait un joint.

— J'ai du rhum, lança Rico.

Il se leva pour attraper son sac à dos. Il retira le duvet et en sortit une fiole de vingt-cinq centilitres. La Martiniquaise. Juste bon à flamber les bananes, mais pas cher.

— Tu gardes tout dans ton sac ? Tu ne laisses rien traîner autour ?

— L'habitude d'être nulle part.

Elle avala une gorgée de rhum, grimaça, puis se concentra sur son joint. Elle torsada le bout et l'alluma, inhalant la fumée avec plaisir. Elle tira une nouvelle fois dessus, mais plus doucement. Dans le même mouvement, sa main gauche se glissa dans le cou de Rico, et elle l'attira vers elle. Vers sa bouche. Il se laissa faire. Il ferma les yeux. Les lèvres charnues de

178

Mirjana effleurèrent les siennes. Il ouvrit la bouche en même temps qu'elle. La fumée vint frapper le fond de sa gorge. Il l'aspira, puis se recula aussitôt en faisant un effort pour ne pas tousser.

Il ouvrit les yeux. Mirjana souriait. Elle aspira une autre bouffée, pour elle.

— Tu vois, elle dit. C'est comme pour tout. Il ne faut pas avoir peur.

Plus tard, ils se couchèrent. Tous les deux sous les couvertures.

— Viens, avait dit Mirjana.

Elle était blottie contre lui, sa main posée sur la poitrine de Rico. Il respirait l'odeur de ses cheveux. Une odeur de shampooing et de cigarettes froides.

Mirjana déboutonna lentement la chemise de Rico. Dans sa tête, tous les souvenirs se mirent à se bousculer, à se télescoper. Quand les doigts de Mirjana effleurèrent son torse, il tressauta, comme s'il venait de recevoir une décharge électrique.

— Ça fait longtemps ? elle dit.

— Très longtemps.

Elle ouvrit en grand la chemise de Rico. Sa joue vint contre sa peau, ses doigts glissèrent sur son ventre. Les souvenirs de Rico semblèrent être chassés, repoussés au plus loin de sa mémoire. Derrière cette ligne d'horizon, imaginaire peut-être, où plus rien ne compte que l'instant présent. Il se fit ciel bleu dans son esprit. Un ciel de mistral. Il pensa à l'amour. À ce que c'était l'amour. Au plaisir d'aimer. À la tendresse des jours. À la délicatesse des instants. À ce que ça voulait dire, le bonheur partagé. À cette légèreté toujours nécessaire, indispensable, des mots, des gestes. Des pensées.

— Tu veux me faire l'amour ?

Rico se tourna vers Mirjana. Ses yeux cherchèrent les siens dans le noir.

— Tu as envie de quoi, toi ?

Elle se serra contre Rico, et l'étreignit avec force.

— On est obligé de rien, dit Rico. On est bien comme ça. C'est pas l'important tout ça... J'aime bien tes doigts sur moi. Leur douceur.

— J'ai envie de ça, moi aussi. De tes mains.

Ils se déshabillèrent l'un l'autre, puis, leurs corps nus, ils se caressèrent lentement. Ils avaient la nuit devant eux. L'éternité. Une éternité qui n'était qu'à eux. Le temps d'une nuit.

À un moment, Rico sentit les larmes de Mirjana sur son épaule. Les larmes du bonheur. Une chanson, reprise par Bashung, je crois, lui revint en mémoire, et il se mit à la fredonner à l'oreille de Mirjana.

> *Je lui dirai les mots bleus*
> *ceux qui rendent les gens heureux*
> *je lui dirai tous les mots bleus*
> *tous ceux qui rendent les gens heureux*
> *tous les mots bleus*
> *tous les mots bleus...*

18

Pour le dernier à mourir, tout sera plus facile.

La porte vola en éclats. Comme fracassée par un bulldozer. Rico lisait, assis par terre, comme la veille, près de la porte des chiottes. Il se leva d'un bond. Mirjana, qui dormait encore, se redressa vivement sur le matelas. Hagarde. Affolée.

— C'est quoi ?

Mais, le temps qu'elle réagisse, deux hommes déboulaient dans la boutique. Le plus costaud, trapu, était en jeans et blouson marron. L'autre, plus grand, plus élancé, portait un long manteau noir. Il s'avança dans la pièce les mains dans les poches. Un sourire aux lèvres.

— Fatos ! cria Mirjana.

Elle s'enroula dans la couverture, cherchant des yeux son survêtement. Elle vit Rico marcher vers les deux hommes. De sa démarche hésitante.

— Vous voulez quoi ? il gueula.

— Rico, non, elle bredouilla.

Mais déjà le costaud s'était jeté sur Rico. Il le saisit au cou.

— Toi, tu la fermes ! OK !

Et il le repoussa brutalement.

Le dos de Rico heurta la cloison. Il en eut le

souffle coupé. Il sentit ses jambes ployer, mais il ne s'écroula pas. Il resta les reins et les fesses collés à la cloison, haletant. Sonné.

Fatos s'approcha de Mirjana et l'attrapa par les cheveux. À pleine main sur la nuque. La douleur lui arracha un cri et lui fit lâcher la couverture. Il la tira vers le centre de la boutique. Il la lâcha.

Mirjana, les bras ballants, ne chercha pas à cacher de ses mains les parties intimes de son corps. Elle se tenait droite. La tête haute.

— Salut, fit Fatos.

Rico comprit mieux les silences de Mirjana, hier au bistrot. L'ambiguïté de certaines de ses explications. Son regard alla de Mirjana à Fatos.

— Et même pas de culotte...

Fatos se retourna vers le costaud, derrière lui, qui gardait un œil sur Rico :

— Ça valait le déplacement, hein, Alex ?

— Je veux !

Sûr que, comment il dit ça, il s'imaginait déjà en train de fourrer sa queue dans le cul de Mirjana.

— Fatos, répéta Mirjana.

Aucune peur maintenant dans sa voix.

— Tu m'as donné du mal, tu sais, pour te retrouver.

Et il lui balança une claque en pleine figure. Sous le choc, Mirjana faillit perdre l'équilibre. Elle recula de quelques pas. Se redressa. La tête haute, toujours.

— Mais tu vois, j'y suis arrivé.

Il lui allongea une seconde claque, tout aussi forte, du revers de la main cette fois. Quelques gouttes de sang perlèrent sur la joue de Mirjana. La trace de la grosse chevalière que Fatos portait à l'annulaire droit.

— Laisse-la ! hurla Rico, qui avait enfin repris son souffle. Laisse-la !

— C'est qui, ce pantin? demanda Fatos.

— Il y est pour rien, répondit Mirjana.

— C'est qui, je t'ai demandé?

— Un type... que j'ai rencontré. Dans un bar.

Sa voix était blanche. Acérée.

Fatos fit face à Rico. Il l'examina des pieds à la tête, avec dégoût. Le jeans élimé, le vieux pull marin que lui avait donné Monique. Leurs regards se croisèrent. Les yeux noirs de Fatos charriaient toute la bassesse du monde, la plus vile. Des yeux de merde.

— Une nuit avec elle, ça chiffre. Tu sais ça, connard? T'as de quoi payer, j'espère!

— Il savait pas où dormir, lança Mirjana.

Fatos se retourna vers elle.

— Tu te fous à poil pour les clodos, maintenant.

Une autre claque partit. Mirjana la vit venir. Elle voulut l'éviter. La main de Fatos lui cogna la tempe. Durement. Elle vacilla, étourdie.

— Laisse-la! hurla encore Rico.

Il ne redoutait plus la baston. Il n'avait aucune chance contre ces deux types, mais il s'en foutait. La rage le poussait. La haine. Toute cette saloperie. Toujours, partout. Dos et fesses contre le mur, il était prêt à bondir. À cogner. Mais avant qu'il ne s'élance, et comme s'il l'avait pressenti, Fatos claqua des doigts, en montrant Rico.

Alex s'avança vers lui. D'un geste vif, ses poings le frappèrent au ventre. Une fois. Deux fois. Des poings d'acier. Qui le projetèrent, de nouveau, contre le mur. Des éclairs de lumière blanche explosèrent sous les paupières de Rico. Ses jambes, cette fois, l'abandonnèrent. Il glissa le long du mur. Telle une limace. Rico eut cette image de lui, alors qu'il s'écroulait par terre.

Plié en deux, les yeux mi-clos, il essaya de retrouver son souffle. Son estomac semblait avoir libéré une avalanche de pierres. Dures. Aux arêtes tranchantes. À chaque inspiration, toute cette rocaille déchirait ses poumons, avant de remonter dans sa gorge. L'étouffant. Bouche ouverte, bavant, il appelait l'air.

— Habille-toi! ordonna Fatos à Mirjana. Tu me fais pitié.

Elle alla ramasser son survêtement, en boule, au pied du matelas. Ses gestes étaient sans hésitation. Elle surprit le regard de Rico. Ses mouvements se firent plus lents. Un instant même, elle sembla rester immobile. Juste avant qu'elle ne remonte le survêtement sur son pubis. Un ralenti qui n'exista peut-être que dans la tête de Rico. À ce moment, il se dit alors que, comme pour un mort, il devait se convaincre qu'il ne reverrait plus Mirjana.

Fatos revint vers Rico. De la pointe du pied, un soulier noir, impeccablement ciré, avec une boucle dorée sur le côté, il fit pivoter vers lui son visage.

— Cette femme, elle est à moi. Tu comprends ça, connard? Je l'ai achetée. À Tarente. Et je l'ai payée, cher. Trop cher pour se faire baiser par des minables comme toi.

Des yeux, Rico cherchait encore Mirjana. Il la vit enfiler le haut du survêtement.

— Regarde-moi! dit Fatos.

La pointe de sa chaussure glissa de la joue de Rico à son menton. Fatos exerça une légère pression.

— Elle voulait voir Paris, il ricana. La tour Eiffel. Les Champs-Élysées. Les Galeries Lafayette… Ces conneries. Mais ça coûte cher, tout ça. Tu sais ça, connard?

Son pied remonta jusqu'au nez de Rico. Le talon bloqué sous son menton, Fatos appuya.

— Laisse-le, dit Mirjana. Tu m'as retrouvée, ça va, non?

184

— J'ai perdu beaucoup d'argent. Plus de trois mois, Mirjana. Plus tous les frais pour remettre la main sur toi. Grenoble, Lyon, Marseille, Arles. Tous ces coins où je t'ai cherchée. T'imagines pas ce que ça coûte ! Et toi, tu t'envoies en l'air avec ce minable.

La chaussure de Fatos pesa plus lourdement sur le nez et le menton de Rico.

— Tu m'as retrouvée, elle répéta.

Fatos leva son pied du visage de Rico, et le posa par terre.

— Ouais… C'est vrai, c'est vrai…

La jambe de Fatos se détendit, un shoot d'enfer, et son pied partit en plein dans la gueule de Rico. Sur le nez. De nouveaux éclairs, rouges ceux-là, zébrèrent son regard. Sous le choc, ses yeux se fermèrent. Son nez pissa le sang.

— J'ai de l'argent ! cria Mirjana. J'ai travaillé !

Elle avait peur maintenant. Pas pour elle. Pour Rico. Elle avait compris. Ce n'était pas sur elle que Fatos allait cogner, se venger, mais sur Rico. Elle, elle était un de ses gagne-pain. Rico, lui, n'était rien.

— Enfin des paroles sensées. Et combien que t'as fait, tout ce temps ?

Mirjana ouvrit sa valise. Elle attrapa un petit sac en toile bleue, l'ouvrit, plongea la main dedans et en sortit une poignée de billets. Des cent, des dix, des cinquante…

— Dans les dix mille, je crois. J'ai pas compté. Tout ce que j'ai gagné. J'ai pas dépensé, Fatos. J'ai pas dépensé.

— Dix mille… Tiens, compte ! il dit à Alex.

— Tu vois, dit Mirjana.

— Je vois quoi ?

— Ça fait de l'argent. C'est cc que tu voulais.

Mirjana fit un pas.

— Où tu vas ?

— Il saigne, elle répondit en désignant Rico. Je...

— Tu bouges pas.

Fatos alluma une cigarette, tira une longue bouffée, puis il la tendit à Mirjana. Elle refusa de la tête.

— Comme tu veux.

— Neuf mille deux cents, annonça Alex.

— Neuf mille deux cents... Ça fait pas dix mille ça... À mon avis, Mirjana, tu baises au rabais. À moins que t'as passé ton temps à niquer toutes les cloches qui traînaient dans le caniveau.

Fatos pivota sur lui même et, avec une extrême rapidité, son pied frappa une nouvelle fois Rico. Dans le ventre. Rico émit un cri. Un râle plutôt. Des larmes embuèrent ses yeux. La jambe de Fatos prit un nouvel élan.

— Arrête ! hurla, hystérique, Mirjana. Arrête !

Le pied de Fatos retomba à une dizaine de centimètres du ventre de Rico.

Elle se jeta à genoux devant Fatos, les fesses sur ses talons. Elle pleurait, la tête basse, les épaules affaissées.

— Je t'en prie.

Fatos écrasa sa cigarette sur le sol, puis il s'accroupit devant Mirjana. Il prit son menton entre ses doigts et l'obligea à lever le visage vers lui.

— T'es qu'une pauvre conne ! Voilà ce que t'es ! Parce que je vais te mettre à Barbès, quelque temps. Tu vas rien que te faire mettre par les crouilles et les nègres. Toute la journée, tu vois ça, le programme ?

Rico, les yeux dégoulinant de larmes, écoutait. Il repensa aux zonards de la gare. À la fille, et à son putain de chien bâtard qui lui reniflait l'entrejambe.

Il aurait aimé l'avoir avec lui, ce chien, là, maintenant. Et voir sa mâchoire se refermer sur les couilles de Fatos.

Un chien ! se hurla Rico dans la tête.

Il détendit lentement ses jambes. Ses pieds glissèrent vers le mur, le trouvèrent. Il prit appui sur lui. Il rassembla ses faibles forces, et toutes ses haines.

Je suis un chien !

Tout son corps se détendit. Il bondit. Mâchoires ouvertes. Crocs en avant. Bavant.

Un putain de chien !

Il sauta à la gorge de Fatos. Ses dents dans son cou. Fatos hurla. Alex se mit à cogner Rico. À coups de pied dans le dos. À coups de poing sur le crâne. À chaque coup, les éclairs déchiraient ses yeux. Sa tête. Blancs. Rouges. Blancs. Rouges. Rouges.

Rouges.

Et le sang.

Puis soudain, Rico ne sentit plus rien. Il avait lâché prise.

— L'enculé ! cria Fatos.

Le sang pissait dans son cou.

Il frappa à nouveau Rico. Du pied. Sur le menton.

— Ça va, lança Alex. Ça va. Il a son compte.

Il se pencha sur lui. Il ne respirait plus.

Dans la tête de Rico, l'humidité de l'obscurité s'était faite palpable. La terre noire, grouillante de vers.

Non. Pas maintenant, non.

Pourquoi tu ne souris pas ?

Pas encore.

Pourquoi tu ne veux pas sourire ?

Non.

Le goût du sang sur ses lèvres. Dans sa gorge. Celui de Fatos. Et le sien.

— Non, il râla.

— Faut qu'on se casse, Fatos. Il va claquer, on dirait.

— Rico.

Cette voix douce, caressante.

Mirjana sanglotait.

Elle n'avait cessé de hurler. D'implorer.

Elle s'agenouilla à côté de lui. Ses lèvres contre l'oreille de Rico, elle murmura :

— Je suis morte, l'oublie pas. Morte...

Elle posa un baiser sur son front.

Fatos la tira brutalement en arrière.

— Prends tes affaires, on se barre.

Rico entendit le zip de la fermeture éclair de la valise. Et des pas. Leurs pas.

Il n'arriva pas à ouvrir les yeux.

La voir une dernière fois.

Mirjana.

— Ordures, il marmonna.

Mais personne ne l'entendit.

Il se fit noir dans sa tête.

Noir.

Rico me dira, un soir qu'on regardait la mer : « À la mort de Titi, c'est comme si quelque chose de moi s'en était allé. Avec Mirjana... Tu vois, Abdou, pour le dernier à mourir, ce sera plus facile. Parce qu'il aura déjà tout perdu. »

DEUXIÈME PARTIE

19

Et si on y allait, voir la mer ?

Abdou, c'est moi.

Ça fait deux mois que je galère à Marseille. Je suis algérien. D'Alger. J'ai treize ans. Enfin, c'est ce que je dis. J'en ai peut-être quatorze, ou quinze. Comme je n'ai pas de papiers, on est sûr de rien. Mais je m'en fous, de l'âge. Ça ne change plus rien à ma vie. C'est ce que j'ai expliqué à Rico, le jour où nous nous sommes rencontrés.

C'était un sale après-midi de janvier, gris et froid. Nous étions assis sur un banc, place de Lenche, au Panier, le vieux quartier près du port. Rico était essoufflé d'avoir marché jusque-là.

— Ouais, il a dit, t'as raison. On a l'âge de ce qu'on pense.

— Et de sa quéquette, j'ai ajouté.

On a rigolé.

J'aimais bien le faire rire, Rico.

Cette rencontre, je ne l'oublierai jamais.

Je remontais la rue Caisserie. Une rue qui longe, en la contournant, la butte du Panier.

Rico semblait scotché devant un panneau Decaux. Une pub pour de la lingerie féminine. Aubade. L'affiche, un superbe cul de femme, bien joufflu, bien charnu, tendu à tout rompre vers le regard des passants. De quoi tomber en arrêt, vraiment ! D'autant que la minuscule culotte de la fille, quelques brins de dentelle, s'insinuait bien au fond dans la raie de ses fesses. Les deux rondeurs n'en étaient que plus appétissantes. Dans le bas de l'affiche, on pouvait lire : « Leçon n° 27. Créer une zone de turbulence. »

Je m'étais planté derrière Rico. Hypnotisé, comme lui. Aujourd'hui encore, quand je ferme les yeux, et que j'imagine ce qui pourrait arriver si une fille me faisait ce genre de numéro, je glisse vite de « l'agitation désordonnée » – c'est la définition exacte de turbulence, je l'ai vérifiée dans un dico, à la FNAC – au séisme général et total ! À ce jour, j'ignore tout des leçons précédentes, mais la n° 27 d'Aubade m'inspire toujours de sacrées branlettes.

Rico a dû finir par me sentir dans son dos. Il s'est retourné, m'a jeté un regard étonné, puis il m'a montré l'affiche :

— C'est le cul de ma femme. Sophie.

— Intéressant, j'ai répondu.

— Ouais… Surtout quand tu peux loger ta queue bien au milieu. J'avais oublié, qu'elles étaient aussi…

Sa main a redessiné dans l'air la superbe cambrure des reins de la fille, puis la jolie courbe de ses fesses.

— Ouahou !…

Sa main est retombée, comme épuisée.

— Ça m'a foutu un choc !

— Sans déconner, c'est pas son cul, à ta femme ?

— Si je te le dis ! Enfin… c'est… C'est comme les seins de Sophie Marceau…

Je ne voyais pas encore le rapport.

— Tu peux pas comprendre… Regarde…

Il m'a pratiquement collé le nez contre l'affiche.

— Tu vois le grain de la peau... Ben, c'est le même. Pareil. Son jumeau, voilà ce que c'est. Son jumeau.

Il s'est reculé de quelques pas.

— Sacrément bandantes, ses fesses, tu trouves pas ?

— Je veux ! Dis donc, t'étais vachement verni comme mec, je me suis moqué.

— Ouais...

Il y avait de la lassitude dans sa voix. Sans lâcher l'affiche des yeux, il s'est allumé une clope, une Fortuna.

— Ouais, il a répété, en se retournant vers moi. Depuis, son cul il est passé dans d'autres mains, tu vois. Des mains ennemies.

— Le monde est plein d'envieux, j'ai rigolé.

Rico s'est marré aussi, puis il s'est mis à tousser comme un dératé.

— Sûr, les envieux ils prennent tout, ils laissent rien. Le pire, c'est les envieux pauvres. Ils iraient jusqu'à te piquer les miettes au fond de tes poches...

Il a haussé les épaules.

— T'habites le quartier ? Je t'ai déjà vu, je crois.

Ça m'a fait plaisir qu'il dise ça.

Depuis que je zonais à Marseille, Rico, je n'arrêtais pas de le croiser dans ce quartier du Vieux-Port. Sa dégaine pas possible, à force, m'était devenue familière. Emmitouflé dans sa parka noire, un bonnet de laine bleu marine vissé sur la tête, il marchait le dos voûté, le regard ailleurs, traînant derrière lui un caddie. Une de ces poussettes, avec un sac en toile, que les bonnes femmes se trimballent pour aller au marché. Rico, je ne l'ai jamais vu sans ce caddie. Plein, toujours, de journaux, de bibelots, de vieux bouquins qu'on lui donnait ou qu'il ramassait, ici et là, dans les rues.

Le Vieux-Port, jusqu'à la mort de Rico, c'était ma balade quotidienne. Ma préférée. Un remède contre l'asphyxie – la *ghoumma*, comme on dit chez nous, quand les vieux ils nous coincent à la maison.

Je marchais jusqu'au fort Saint-Jean, puis je tirais le long de la digue, vers l'entrée de la passe. Là où commence la mer. Avec l'horizon au fond. Et l'Algérie, de l'autre côté, sur l'autre rive. Je me calais dans les rochers et, tout en me fumant un bon pétard, je restais des heures à rêvasser.

Marseille, du moins de ce côté-là de la ville, ça m'a toujours rappelé Alger. Ce n'est pas que j'avais la nostalgie de chez moi, allez pas croire. Chez moi, ça n'existe plus. Je n'y refoutrai jamais les pieds. Alger, je veux oublier. Mais c'était juste que j'avais besoin de me raccrocher à quelques souvenirs. C'est tout ce qui me reste, quelques souvenirs.

Je n'étais pas le seul à venir les faire revivre ici. Des tas de types traînaient autour du fort Saint-Jean, seuls ou en groupes. Pas mal d'Algériens comme moi. Mais aussi des Africains, des Turcs, des Comoriens, des Yougoslaves… Un mec, qui voulait me vendre de la dope, il trouvait que Marseille ressemblait à Dubrovnik. « Ça ressemble à où on veut », je lui ai répondu. Maintenant, pourquoi on débarque tous ici, les uns après les autres, c'est une autre histoire. Mais, vous voyez, je ne me suis jamais pris la tête avec ça.

Moi, tranquille dans mes rochers, je fermais les yeux, et je me revoyais avec mon copain Zineb, à l'Éden ou aux Deux-Chameaux, à nous taper des bains tout l'été. Et ça me faisait un bien fou de repenser à lui. De repenser à lui comme ça, à piquer des plongeons dans l'eau tiède du port. À crier, à rire. À siffler les filles… Ça me réconfortait bien, quoi. Et, surtout, ça calmait mon envie de foutre le feu à cette putain de saloperie de planète. Faut dire que si j'avais les bonnes allumettes pour ça, le feu, il y a déjà longtemps que je l'aurais mis.

— Tu m'as pas répondu, il a dit Rico. T'habites par là?

Ya Khi blad ya khi! Foutu pays! Je suis sorti de mes pensées. J'ai senti le regard de Rico sur moi. Ça m'a fait bizarre, son regard. Il ne venait pas me rappeler les brûlures qui zèbrent la moitié gauche de mon visage, de l'œil jusqu'au menton. C'était bien la première fois que ça arrivait. Les autres, même les plus gentils, je sentais bien que, quand ils me parlaient, ils ne pouvaient pas détacher leurs yeux de ces plaies dégueulasses. Ça leur répugnait.

— Je fais que passer, j'ai répondu.

— Tu vas, tu viens, quoi. Comme moi.

— Tout juste.

— Et t'allais où, là?

— Voir la mer.

Il m'a souri.

— C'est sur mon chemin, la mer.

Il a attrapé son caddie, et il s'est mis à marcher, lentement. Je l'ai suivi. De toute façon, je n'avais rien à glander.

La tête d'un ours en peluche dépassait du caddie. Un œil, décousu, pendait et sautillait doucement au rythme des roues. Ça le rendait vachement sympa. On aurait dit qu'il clignait de l'œil

— D'où tu le sors, cet ours?

— On vient de me le filer. C'est une pièce rare.

— Moi, j'en ai jamais eu.

Rico s'est arrêté. Il m'a de nouveau regardé, mais bien droit dans les deux yeux, cette fois:

— Je peux pas te le donner, tu comprends ?

— J'ai rien demandé, putain !

— Bon, alors ça va.

Il s'est remis à marcher, et on a continué comme ça jusqu'à la place de Lenche. Là, il m'a proposé de faire une pause, sur le banc. Il était trop essoufflé pour continuer.

— Je fais toujours une pause, ici. J'aime cette place. On est bien, tu trouves pas ?

Il a amené le caddie entre ses jambes, et il a fermé les yeux. Sa respiration était saccadée, sifflante. Ça faisait mal, putain, de l'entendre respirer comme ça. Je suis resté sans bouger, sans rien dire. L'ours m'a tiré la langue, une petite langue de tissu rouge. « Salut, Zineb ! » j'ai dit.

Rico, ça faisait presque un an qu'il était à Marseille. Physiquement, je crois, il avait changé. Il était aussi maigre qu'un clou. Une barbe poivre et sel, qu'il laissait pousser pour ne plus avoir à se raser, lui rongeait le visage. De son bonnet s'échappaient des mèches de cheveux graisseux. Et son sourire, toujours doux, laissait entrevoir des dents noires, rongées.

À cet instant, bien sûr, je ne pouvais pas savoir. Mais Rico ressemblait à Titi. Au Titi des derniers temps, tel qu'il me l'a ensuite décrit. Et tel que je l'imaginais dans ma tête. Clodo, quoi. Pour Rico, vous voyez, plus rien ne semblait avoir d'importance. Même sa parka noire, dont il était si fier. Elle était râpée, et maculée de taches. Elle avait vieilli, et vieillissait avec lui. Aussi vite. D'ailleurs, il ne la quittait jamais. Quel que soit le temps. À croire même, j'avais pensé, qu'il dormait avec.

Peu à peu, le souffle de Rico est devenu plus régulier, presque normal. Il a ouvert les yeux, et a sorti ses clopes. Il m'en a offert une.

— Et alors, tu crèches où ?

— À l'Ozéa. C'est un hôtel, rue Barbaroux, pas loin de la Canebière. On est quatre par chambre, ou cinq, selon les nuits.

— Et t'as atterri là comment ?

— Par une association. Les Jeunes Errants, elle s'appelle. C'est pas un foyer, tu vois. Y a pas de dortoirs, ni de cantine. C'est juste une structure d'accueil, comme ils disent. Un lieu où on débarque quand on sait pas où aller. Quand on est sans maison, sans argent. Sans rien. C'est pour ça que ça s'appelle comme ça, les Jeunes Errants. Moi, c'est ce que je suis.

— T'as plus tes parents ?

— Ni père, ni mère, ni frère… Rien, quoi. Si, les mains dans mes poches.

J'ai ri.

— T'es un rigolo, toi.

— J'ai pas beaucoup le choix.

Les Jeunes Errants, j'y suis arrivé par l'hôpital de la Timone. J'y étais depuis un mois. Pour des brûlures au second degré. Pas que sur le visage, sur tout le corps. J'avais fait le voyage Alger-Marseille dans la salle des machines d'un cargo, le *Nordland*. Planqué au-dessus des tuyauteries. Quand je me suis montré, les mecs de l'équipage, ils sont tombés à la renverse. Pas de me voir. De voir dans quel état j'étais. « J'ai soif », j'ai dit. Je leur ai juste dit ça. Avant de tomber dans les pommes. Quand j'ai repris connaissance, j'étais aux urgences.

Les toubibs m'ont dit que j'étais dingue d'avoir fait ça. Sûr, mais j'avais quitté ce foutu pays de merde, et j'étais vivant.

— Une nuit, j'ai raconté à Rico, une vingtaine de types en treillis et rangers, cagoule sur la tête, ont fait irruption dans ma cité. À Bal-elzouar. Immeuble par immeuble, ils ont sorti des gens de chez eux. Mais pas n'importe qui... Ils avaient des listes. Ils les ont fait descendre dans la rue. Des familles entières, tu vois. Et là, tac, tac, tac... ils les ont fusillés. Mes parents, ils étaient sur la liste. Mon frère aussi.

Rico avait les paupières baissées. Sur le moment, j'ai cru qu'il s'était endormi. Comme je me suis arrêté de parler, il a ouvert les yeux. Je ne saurais pas comment dire, comment c'était dans ses yeux. Un regard d'aveugle, j'ai pensé.

— Et toi, il me dit, où tu étais ?

— Moi, par chance, j'étais resté dormir chez mon copain Zineb. On était allé se taper un bain, sur le port. Je dormais toujours chez lui quand on allait se baigner. Parce que ça faisait loin pour rentrer chez moi. C'est vers l'aéroport, tu vois, et... J'aimais bien ça, dormir chez lui. C'est mon seul regret, de l'avoir abandonné, Zineb. Dans ce merdier...

Rico a glissé son bras dans le fond du caddie, et en a sorti une bouteille de pinard. Il s'en est envoyé plus d'un quart, comme ça, sans respirer.

— Ouais, il a dit. C'est toujours la même histoire.

— Quoi, qu'est la même histoire ?

— Tu vois, le truc, c'est que... Tu vis peinard, avec ta femme, ton môme. Juste assez de fric pour pas trop te faire chier. Et puis, un jour, ta femme te largue. Tu te retrouves seul. Tu crois que c'est la fin du monde, tout ça...

Son regard s'est alors perdu je ne sais où. Loin. Rico est resté quelques instants silencieux.

— Qu'est-ce que je disais ?

— Tu parlais de ta femme. De... la fin du monde.

— Ah oui… En fait, la fin du monde avait déjà commencé. Bien avant que les emmerdes te tombent dessus.

Je n'y comprenais rien, à son baratin.

— Qu'est-ce tu racontes ?

— C'est quand le ciel te tombe sur la tête, que tu découvres l'horreur. Que l'horreur existe dans le monde. Parce que tu bascules dans une autre vie, et que tu rencontres des gens dont t'imaginais même pas l'existence, ni la douleur…

— Comme moi ?

— Comme toi. Et d'autres, jetés sur la route. Abandonnés…

Il s'est avalé une autre grande rasade de vin, puis il a repris :

— Tu vois, c'est comme la guerre de 14… T'en as entendu parler à l'école, de la guerre de 14 ?

— Tu déconnes ou quoi ! Mon grand-père, il l'a faite, cette guerre. Turco, il était. Tirailleur, quoi… Que même il a eu une médaille.

— Eh ben, il y avait le front. Les tranchées. Les mecs, ils crevaient tant et plus. Une vraie putain de boucherie ç'a été, cette foutue guerre. Pendant ce temps, d'un côté comme de l'autre, la vie continuait… Aujourd'hui, c'est pareil. Sauf que les charniers s'étendent. Ils gagnent sur la vie. Tu vois, un jour, on sera tous morts.

Il a rebouché sa bouteille, et l'a glissée dans le caddie. Il m'a regardé, de ce regard que j'aimais bien. Puis il a hoché la tête :

— Bon, et si on y allait, voir la mer ?

20

Le mal, c'est comme l'enfer,
on ne peut pas imaginer.

Rico, la première chose qu'il avait faite, quand il
avait débarqué à Marseille, ç'avait été de grimper en
haut de la rue Neuve-Sainte-Catherine. Jusqu'au
petit immeuble où habitait Léa. Les façades du quartier, comme un peu partout dans le centre, avaient
été repeintes, en ocre, en rose. Il avait eu du mal à le
reconnaître.

Du coup, il avait hésité. Puis il s'était rappelé le
couloir, et le petit escalier étroit qui montait chez
elle. Là, rien n'avait changé. La même peinture marronasse, mais en plus crade, forcément.

— C'est ici, il m'a dit, lorsqu'il m'y a emmené.

Il voulait que je voie où c'était, chez Léa. On y est
retournés plusieurs fois. Genre en pèlerinage, vous
voyez. Ça nous prenait un temps fou pour y aller.
Parce que ça monte dur, ce quartier, et Rico, il s'arrêtait tous les cent mètres pour reprendre sa respiration. Chaque fois, il regardait les noms sur les
boîtes aux lettres. Comme à son arrivée à Marseille.

Ce jour-là, il était sans illusion, bien évidemment.
Vingt ans étaient passés. Ou plus, je ne sais plus.
Mais il n'empêche, son cœur battait fort en lisant les

noms sur les boîtes aux lettres. Pas de Léa Carabédian. Les noms, il les avait lus une seconde fois, plus lentement. Pour être bien sûr.

Un peu perdu, la tête vide, il avait marché vers le parvis de l'abbaye Saint-Victor. Appuyé au parapet qui surplombe l'ancien bassin de carénage et l'entrée du Vieux-Port, il avait regardé la ville, en fumant clope sur clope.

Marseille, m'a-t-il dit – et ça l'avait surpris, je crois –, lui avait paru familière. Comme s'il avait habité ici pendant des années. Plus familière que Saint-Brieuc, où il était né, où il avait grandi. Plus familière que Rennes où il avait vécu.

— Le bonheur apprivoise, tu vois.

Rico m'a balancé ça, un soir, en revenant de chez Léa.

— Tu peux me répéter ce truc ?

— Laisse tomber, Abdou. Laisse tomber.

Rico, il était souvent comme ça, les derniers temps. On parlait de choses et d'autres, et puis, sur une phrase, sur un mot, son esprit glissait je ne sais où. Il restait alors silencieux, perdu dans ses pensées. Quand il réémergeait, c'était pour lâcher une ou deux phrases pas possibles.

Moi, cela m'énervait un peu. J'aurais bien voulu piger, quoi. Qu'il m'explique.

— Je suis pas taré, merde ! je lui ai gueulé un jour.

En vrai, Rico avait de plus en plus de mal à recoller les morceaux dans sa tête. Il y avait un sacré décalage entre ce qu'il pensait et ce qu'il arrivait à exprimer.

Je m'en étais aperçu avec Léa.

Lorsqu'il en parlait, il dérapait souvent. Son visage, tel qu'il me le décrivait parfois, ressemblait à l'image que je m'étais faite de Mirjana. Dans sa mémoire, leurs traits se confondaient. La couleur de leurs yeux, de leurs cheveux.

Rico avait un sérieux problème avec le temps. La notion du temps. Léa, il ne parvenait pas à l'imaginer aujourd'hui. Une femme de quarante ans. Pour lui, elle avait toujours l'âge de leur rencontre. La même jeunesse.

J'ai essayé de lui expliquer ça une fois, en vain.

Je l'attendais sur le banc, place de Lenche. Quand je l'ai vu déboucher de la rue Caisserie, j'ai deviné qu'il s'était passé quelque chose. Il marchait vite, sans se soucier de son caddie. Il s'est laissé tomber sur le banc, haletant. Je ne l'avais encore jamais vu aussi excité.

— Tu vas pas me croire…, il a commencé en toussant.

— Attends, reprends ton souffle, j'ai dit.

— Ouais… ouais…

J'ai cru qu'il allait s'étouffer. J'avais tout le temps la trouille qu'il s'étouffe.

— Sûr, que c'était elle. Léa…

— Calme-toi, putain !

— Me calmer… Abdou, merde ! Je l'ai vue ! Dans le bus… Elle montait dans le bus. Le 83. L'arrêt sur le port, tu vois. Même qu'elle m'a reconnu… Enfin, je crois. Mais… Mais bon, trop tard… Le bus, il repartait et…

— Ah ouais… Et elle était comment ?

— Comment ça, comment ?

Il m'a regardé comme si j'étais un abruti.

— Ben, son visage ?

— Quoi, son visage ?

Un abruti de première, sûr.

— Tu vois, Rico…

J'ai retourné quarante mille fois ma langue dans ma bouche, puis ça m'est sorti :

— Faut que je t'explique, Rico. Avec le temps, malgré tout, on change. Tu piges ça un peu, qu'on change? Qu'on vieillit, quoi. Moi, dans vingt ans, si tu me croises dans la rue, c'est forcé, tu vas pas me reconnaître...

Rico a eu un petit rire aigrelet, un peu fou, que je n'aimais pas.

— Ah ouais, ouais... Dans vingt ans...

Il s'est mis à tousser, avec des haut-le-cœur, comme quand il allait vomir.

— Dans vingt ans, il a repris, je serai mort. Alors, me fais pas chier, Abdou, à savoir si je te reconnaîtrai ou pas... Je te parle pas de toi, mais de Léa. Que je l'ai vue, tout à l'heure...

Puis ça a été la débandade dans son regard. Genre *Titanic*, version accélérée. Je m'en suis voulu d'avoir déballé mes conneries. Il vaut mieux être muet, des fois, c'est ce qu'on dit, non? Qu'est-ce que ça changeait, putain! Rico, tant qu'il y croyait qu'il la reverrait, Léa, il resterait vivant. Et qu'est-ce que ça foutait que cette Léa ressemble à Sophie, à Julie, à Malika ou à Mirjana. Les souvenirs nous bernent, j'ai pensé.

Je l'ai même pensé tout haut.

— Qu'est-ce que t'as dit, là? il m'a demandé.

— Ben quoi, merde! Moi aussi, je peux balancer des phrases à la con.

— Ouais...

Il s'est allumé une clope. La première taf l'a fait tousser de nouveau.

— Excuse-moi, pour Léa, j'ai dit. Je voulais pas te fâcher.

Rico a haussé les épaules, et son sourire est revenu.

— T'imagines pas, Abdou. Elle portait ce petit béret rouge que j'aimais bien... Tu te souviens, je t'ai raconté, pour le béret.

J'ai fait oui de la tête. Qu'est-ce que je pouvais dire, hein ?

— Demain, tu vois, je vais y aller à cet arrêt. Je vais aller l'attendre.

Il m'a passé le bras autour de l'épaule, et m'a serré contre lui. Il était ému aux larmes.

— La surprise, je vais lui faire !

Je l'ai laissé parler. Je savais que le lendemain matin, il aurait oublié. Non pas Léa, mais le bus 83, l'arrêt sur le Vieux-Port. Il suffisait de quelques bières, ou d'une bouteille de pinard, et une nuit par-dessus, pour que tout se volatilise dans sa tête.

Moi, j'en avais pris mon parti. On ne se filait plus aucun rendez-vous, lui et moi. Parce qu'il les oubliait. Une fois, on avait rencard devant chez Tati, presque en bas de la rue de la République. Deux heures, j'ai poireauté, avant de me casser. Ce que j'avais trouvé de plus simple, c'était de l'attendre quelque part sur son itinéraire. Ou au bout de la digue du fort Saint-Jean. Ou à sa planque.

— Ah ! T'es là, il disait, en me retrouvant, où que ce soit, et quelle que soit l'heure. Je suis pas trop en retard...

Et il partait dans des histoires pas possibles, où le passé et le présent se mêlaient sans cesse. Ça n'a pas été facile pour moi, vous voyez, de tout remettre dans l'ordre.

On ne doit pas l'oublier, c'est une sacrée baston qu'il s'est ramassée, Rico, à Avignon. Quelques plombs avaient dû péter dans sa tête, je pense. Je ne dis pas qu'il était dingue, allez pas croire. Je dis simplement que la violence, la douleur, ça traumatise. Quand on a morflé, on n'est plus pareil. On ne ressent plus les choses de la même manière. On ne réagit plus comme les autres.

Moi, je suis comme ça. Du coup, les gens, même les plus compréhensifs – je pense à Michel, un des animateurs des Jeunes Errants, un appelé du contingent –, des fois ils s'énervent parce qu'ils ne comprennent pas nos réactions. Surtout quand ils veulent nous aider, et que nous, on les envoie chier.

Les animateurs, les juges, tout ça, ils ont beau s'intéresser à nos putain d'histoires, en être émus, s'en indigner, ça leur est impossible de se mettre dans notre peau. Là où j'ai mes brûlures, par exemple. Moi, il suffit que je passe ma main dessus, et je n'appartiens plus au même monde. À ce monde, quoi. Le mal, c'est irréel. C'est comme l'enfer, tant qu'on n'a pas été sur le grill, on ne peut pas imaginer.

Même Driss, il n'arrive pas à comprendre. Driss, c'est un autre animateur. Marocain, il est. Mais il est né à Marseille.

Un soir, à l'association, il nous a chopés dans un coin, moi et Karim. Deux mots à nous dire, il a annoncé. Le même air, le même ton que mon prof, quand j'avais fait une connerie.

— Moi, j'ai un principe, il a commencé, ceux qui touchent à la dope, je les évite.

Ce soir-là, j'avais les yeux gros comme des boules de loto, tellement j'avais forcé sur la fumette. Mais Driss, il en avait surtout après Karim. Il s'est retourné vers lui, et il a ajouté :

— Toi, je te parle plus. OK ? Tant que tu continueras à avaler tes saloperies.

Karim, c'est vrai, il n'arrêtait pas de fumer ou d'avaler n'importe quoi. Pour planer un maximum. Pour ne pas être là, quoi. Ce n'est pas un drogué, je dis. C'est juste que quand il redescend sur terre, forcément, il revoit trois enculés de militaires qui cognent sur sa mère. Pour l'obliger à dénoncer un voisin. Finalement, le voisin, c'est lui, Karim, qui l'a dénoncé. Il n'en pouvait plus d'entendre hurler sa mère. Alors, ces ordures sont allées le chercher, le voisin, et ils l'ont flingué devant lui. Trois balles. Une chacun. Du sang a giclé sur sa chemise, à Karim. Il revoit ça aussi, le sang du voisin qui gicle sur lui.

Karim, il a haussé les épaules. Rien à foutre, vraiment, que Driss ne lui parle plus. Et il s'est cassé en nous faisant un bras d'honneur. C'est les flics qui l'ont ramené, cinq jours après. « On a retrouvé un de vos protégés, ils ont rigolé, moitié crouille moitié crasse. » Les Jeunes Errants, pour eux, ce n'était rien qu'un repaire de camés.

J'ai eu mal pour Karim, de le voir revenir ainsi, encadré par les flics. Mal pour Driss aussi. On ne peut pas rester comme ça, sans se parler, j'ai pensé. Alors ça m'a pris, un matin. Comme un coup de sang. J'ai attendu que Christine, la secrétaire de l'association, parte aux chiottes, et j'ai pris sa place, derrière le bureau.

Quand elle est revenue, je lui ai dit, sérieux :

— Asseyez-vous, mademoiselle.

Elle a souri, Christine, comme toujours. De ce joli sourire qu'elle a, et qui nous rassure, nous calme. Nous fait croire qu'eux tous, à l'association, ils sont dans nos histoires, et non pas à côté.

— Alors, Christine, j'ai dit, comment que t'es arrivée en France ? Par quel bateau ?…

Les autres se sont approchés. Michel et Driss d'abord. Et puis les autres comme moi. Karim, Fayçal, Mario, Nedim, Hiner… Tous, ils se marraient.

Christine, elle a joué le jeu, jusqu'à ce que je pousse

le bouchon un peu trop loin. Là où il sera toujours impossible de venir le ramasser.

— Ah! c'était pas un bateau... C'était en camion?... Trois mille kilomètres cachée sous le camion... Ah bon! Ah bon!... Depuis le Kurdistan. Ah! mon Dieu...

Hiner s'est rapproché. C'est ça qu'il a vécu, Hiner. La saloperie de merde de la vie, il l'a bouffée par la route. Pendant trois mille kilomètres.

J'ai regardé Christine dans les yeux, puis très gravement, j'ai ajouté :

— Ah! C'est la misère chez vous...

Là, elle m'a coupé. Elle ne souriait plus.

— Bon, elle a dit, ça va, Abdou. J'ai du travail.

Le téléphone sonnait, c'est vrai.

Et du boulot, c'est également vrai, elle en avait jusque par-dessus la tête. À cause de nous. On est des nids à paperasse, nous les jeunes errants.

Et moi, je n'ai pas toujours de bonnes idées.

Allez pas croire, si je parle de moi, c'est pour expliquer. Pour que vous voyiez mieux les choses, quoi. Rico, ces enfoirés de proxos, ils l'avaient laissé «comme mort». Combien de temps il était resté ainsi, il n'en savait rien. Deux jours, trois jours. Ou plus. Plus peut-être. Dès qu'il avait repris connaissance, une première fois, il s'était traîné vers le matelas et il avait replongé aussi sec dans le noir.

Là, c'était l'horreur. Les coups se remettaient à pleuvoir. Ça n'arrêtait pas. Sur les reins, le ventre, le visage. Il ne sentait plus son corps tellement il lui faisait mal. À hurler. Et dans sa tête le gong sonnait en permanence. KO sur KO, quoi.

La toux l'avait réveillé, pour de vrai. Et l'envie de vomir. Des glaires épaisses, jaunâtres, avec un peu de sang, qu'il avait crachées à même le sol, sans se lever. Chaque quinte de toux lui arrachait l'estomac. Ce n'est que peu à peu qu'il avait réalisé qu'il puait la merde et la pisse. Il s'était fait sur lui. Pas en dormant, non, mais pendant que ces ordures le tabassaient. Ou juste après. Tout son corps s'était relâché. La peur, la douleur.

À un moment, il avait rampé jusqu'à son sac, et il s'était avalé une plaquette complète de Doliprane. Avec une bière, la dernière qui lui restait. Et puis il avait dormi encore.

— Mirjana !

Il s'était réveillé en sursaut. Angoissé. Son regard, à ras de terre, avait balayé la pièce. À la recherche du livre de poèmes. Il le lisait, quand ces types avaient débarqué. Donc, le bouquin devait être contre le mur. Il n'y était plus. Alors Rico fut rassuré. Elle l'avait emporté.

Elle vivrait, encore.

— Mirjana.

Un murmure.

Et il s'était rendormi en souriant.

Quand il avait enfin pu voir sa gueule dans une glace, Rico, il s'était fait peur. Tout son visage était enflé. L'œil droit, la joue. Son nez. Et ses lèvres, qui avaient doublé de volume, étaient fendues en plusieurs endroits.

C'est dans cet état-là qu'il était arrivé à Marseille.

Léa, si elle avait été là, à l'attendre, sûr, elle l'aurait pris dans ses bras, et elle l'aurait consolé, soigné, dorloté.

— Je t'aime, elle aurait dit.

Mais Léa n'était pas là.

Seulement des militaires en treillis, mitraillette à la main, qui patrouillaient au milieu des voyageurs. Et des CRS à leurs côtés.

Une ville en guerre, avait pensé Rico.

Sarajevo.

Mais ce n'était que Marseille.

C'était Marseille.

— J'y suis, Titi, il avait marmonné, tout en se faufilant au milieu des gens pour éviter de se trouver nez à nez avec les militaires et les flics.

Marseille.

Le bout du chemin. De sa route.

Il était sorti de la gare. À droite, appuyés contre un mur, trois zonards semblaient faire la sieste. Il s'était affalé contre le mur, à côté de l'un d'eux.

— Salut, il avait dit. Tu connais un foyer, où je peux passer la nuit ?

21

Un jour, peut-être, se découvrir des frères.

La planque de Rico n'était pas loin du port de la Joliette. À une centaine de mètres de la gare maritime, quai de la Tourette. Un endroit lugubre, promis à une prochaine rénovation. Il y avait là quelques petits entrepôts désaffectés. Leurs façades, murées pour repousser d'éventuels squatteurs, étaient couvertes d'affiches, de tags et de graffitis obscènes.

À force de traîner sur les docks, Rico avait fini par trouver un accès autre que par la rue. Un vrai coup de bol.

Une fin d'après-midi, il m'y a emmené. Depuis quinze jours, nous étions devenus inséparables, lui et moi.

— Tu vas voir… Tu vas voir, il a répété en marchant.

Il était heureux, vraiment. J'ai eu envie de lui donner la main, comme je le faisais avec mon père, mais je n'ai pas osé.

De la place de Lenche, on a tiré par la rue de l'Évêché, jusqu'à la cathédrale de la Major. Un bâtiment lourd et crasseux, genre vieux baba au rhum, ceinturé par l'axe routier qui conduit à l'autoroute du Littoral. On l'a contourné.

— Ça, a rigolé Rico, c'est la place de l'Esplanade.

Il y avait de quoi rire. La place avait disparu sous la quatre voies. Les bagnoles, nombreuses, y roulaient aussi vite que sur un circuit automobile.

— Et comment on traverse ? j'ai demandé.

— On traverse. C'est simple.

Il m'a montré les bandes blanches, peintes sur l'asphalte.

— On a le droit, là, tu vois. C'est un passage piéton.

Rico a levé son bras gauche, comme un flic, et il s'est engagé, poussant son caddie devant lui. Je l'ai suivi, les yeux fermés. Ça a méchamment freiné, furieusement klaxonné, mais on est arrivés entiers de l'autre côté.

— C'est comme pour tout, faut pas avoir peur. Mirjana, elle disait ça.

On était en haut de larges escaliers qui débouchaient sur une rue. La rue François-Moisson. Je suis toujours passé par là, après. Je n'étais pas encore prêt à mourir écrasé.

— On aurait pu prendre par en bas, j'ai dit.

— Ouais. Mais moi, les escaliers, je préfère pas les monter, tu comprends.

On a descendu une volée de marches, jusqu'au premier palier. Là, à gauche, dans un renfoncement, une porte basse, rouillée à mort, ouvrait sur une étroite galerie. Elle puait des siècles de pisse de chats et de merde de chiens. Une infection.

— Ça va ? m'a demandé Rico, inquiet devant ma grimace.

— T'as pas un masque à gaz ?

— Après ça va mieux, tu verras.

Il a attrapé une grosse lampe torche, cachée derrière un parpaing, et nous avons marché cinq cents mètres, en dénivelé.

En fait, la puanteur s'élevait d'un conduit qui longeait la galerie. Un conduit d'égout, je pense. J'ai alors compris que l'odeur que Rico trimballait sur lui, une odeur âcre, mélange de pourriture et d'humidité – que j'avais d'abord mis sur le compte de la crasse – venait de là. Il en était tellement imprégné que, parfois, on la sentait même dans son haleine.

— Ça doit être infesté de rats, j'ai dit.

— Des rats, je sais pas. Un rat, oui.

— Comment ça, un rat ?

— Ben, un rat. Y en a un, il vient régulièrement dans ma planque. On est copains. La nuit, quand je me réveille, je vois ses yeux rouges. Il veille sur moi, quoi.

J'ai eu un frisson. Les rats, j'en ai horreur. Ils me répugnent. Depuis ma traversée sur ce foutu cargo. C'en était plein dans la salle des machines. Un vrai ramdam, ils faisaient. À couiner. À se courser les uns les autres. Je les avais sentis courir sur moi, ces saloperies de bestioles.

— Ah ouais… Et tu lui files à manger, tout ça ? j'ai ironisé.

— Je t'ai dit, on est copains. Je lui cause, je lui file à bouffer. Tu vas pas croire, il adore le saucisson. Tu sais, il s'assoit sur ses pattes arrière…

Il s'est arrêté, pour mieux décrire la scène. Imitant le rat.

— … et il se boulotte la rondelle en la tenant avec ses petites pattes avant. C'est rigolo comme tout.

J'ai pensé aux Tom et Jerry qu'on regardait à la télé avec Zineb.

— Et il a sa petite serviette, pour pas se salir ? j'ai plaisanté.

Rico m'a braqué la lampe torche sur le visage.

— Il t'a fait quoi, ce rat ?

— Rien… Rien…

— Alors, sois pas méchant avec lui, merde !

On était devant une porte en bois, à claire-voie. Un des locaux dans lequel Rico s'était installé. Des *fundouk*, on appelle ça, à Alger.

— Les rats et moi, on est presque de la même famille, maintenant.

Il a poussé la porte, puis il a allumé quatre gros cierges qu'il avait piqués dans l'église Saint-Ferréol, sur le quai des Belges.

— Pas mal, non ?

Le choc, oui !

C'était la grotte d'Ali Baba, sa planque. Il devait y avoir au moins deux cents ou trois cents sacs plastique, remplis à ras bord d'objets les plus divers. Tout était soigneusement rangé. Les bouquins avec les bouquins, les bibelots avec les bibelots, les fringues avec les fringues… Et tous les sacs étaient regroupés selon leur contenu.

J'ai sifflé entre mes dents.

— Putain ! tu fais quoi avec tout ça ?

— Je gagne ma vie, qu'est-ce que tu crois.

Rico n'arrivait plus à faire la manche. Même après s'être repassé dans la tête tous les conseils de Titi. Ça lui soulevait trop le cœur, il disait. Alors, il avait inventé un système. On lui filait une pièce, et, en échange, il offrait un cadeau.

— Et ça marche ?

Il a haussé les épaules.

— Je vais te dire, j'arnaque un peu. Tu vois, le mec ou la bonne femme… ils te filent une petite pièce, par… compassion. Ils viennent de faire leurs courses, ils se sentent un peu coupables quoi, d'avoir plein à bouffer, plein de fringues, tout ça… Mais ça va jamais plus loin qu'une ou deux petites pièces.

Moi, avec mon système, je peux leur arracher entre cinq et dix balles! Pas moins, tu m'entends, pas moins.

Chaque jour, il s'installait à l'entrée du Centre Bourse, près de la Canebière. Trois étages de commerces. Sur une feuille de journal propre, Rico déballait quelques livres et objets, puis il se mettait au travail.

Il allait au-devant des gens, un peu comme il avait vu faire Titi au marché d'Aligre. Mais avec assurance, sans faire pitié. « Eh! Isabelle! T'aurais pas un petit soleil pour moi? Eh! Jeannot! T'as rien pour moi aujourd'hui? » Rico, il appelait tout le monde Isabelle et Jeannot.

Je suis allé le voir « bosser », un jour. Dès que quelqu'un lui filait une pièce, il le prenait par le bras et l'emmenait vers son étalage :

— Attends, viens, je vais te faire un petit cadeau. Tu veux quoi? Le chat en porcelaine rose? Un livre? La casquette Ricard? Choisis...

Celui qui venait de donner était coincé. Même s'il disait non, il se retrouvait avec un truc dans les mains, et il était obligé de dire merci à Rico. Et là, Rico ouvrait sa main et disait en souriant :

— Attends, Jeannot, il manque trois francs, là. C'est cinq francs le livre.

Ça les déstabilisait, les gens.

— Ben, je sais pas si j'ai encore trois francs, disait le « client ».

Et il se mettait à fouiller dans ses poches ou à chercher dans son porte-monnaie. Sans même envisager de rendre son « cadeau » à Rico.

L'œil de Rico, lui, était aux aguets.

— C'est pas dix francs, que t'as, là?

— Ah oui, disait l'autre.

— Tiens, je te rends tes deux francs, et c'est bon. Ça va ?

Alors, alors seulement, il disait merci, Rico. Et bonne journée, et tout ça. Sans jamais oublier de faire un compliment aux femmes. Genre « T'es mignonne, Isabelle » ou « Elle est jolie ta femme, Jeannot ».

Je n'ai jamais vu personne l'envoyer chier lui et ses cadeaux. Les gens, je crois, ça les amusait cette petite entourloupe. J'ai même vu un type lui serrer la main, une fois. Rico venait de lui offrir un livre à la couverture bleue. *Cours d'orthographe*, par E. et Mme Bled.

— C'est introuvable, il lui a dit.

— Reviens me voir, Jeannot. J'en ai plein d'autres. Des rares…

Rico a déballé son caddie, et il a commencé à trier tout ce qu'il avait chiné dans la journée.

Je me suis laissé tomber sur un vieux matelas, coincé au milieu des sacs de bouquins. L'ours en peluche était là, appuyé contre le mur.

— Salut, Zineb, j'ai murmuré.

Je ne sais si Rico m'a entendu ou quoi, mais il s'est retourné et m'a regardé en fronçant les sourcils.

— T'es encore après cet ours !

— Merde, Rico ! Je peux lui dire bonjour, non ?

— Ouais, ouais, ouais…

J'ai fini par distinguer un vélo, tout au fond de la pièce.

— C'est quoi, ce vélo ?

— Un vélo.

Il ronchonnait, Rico. À cause de Zineb. De l'ours, quoi.

— Allez, j'ai dit en me levant. Fais pas la gueule.

— Il a traîné une semaine en bas des escaliers. T'as jamais eu de vélo, non plus ?

On s'est regardés. Il faisait vraiment la gueule, ce con ! Je ne comprenais pas ce qui le tarabustait avec cet ours.

— Si, j'ai répondu gentiment. Enfin, mon frère. J'aime bien ça... Et il roule ?

— Ouais... Je l'ai poussé, dans la rue. Pour voir. Y tourne rond. Bon, c'est pas avec ça que tu vas gagner le Tour de France.

— Ça...

— Moi, j'ai toujours rêvé d'en avoir un. Ça m'aurait plu d'aller rouler sur la plage, le dimanche, avec Sophie et Julien. Mais Sophie...

Il est allé s'asseoir sur le matelas pour fumer une clope. Je l'ai rejoint. Il attrapé l'ours et il l'a assis entre ses jambes.

— Tu vois, il me rappelle mon fils, cet ours. Je lui en avais acheté un, un peu comme ça. Il le quittait jamais. Je me demande s'il l'a toujours.

— Pourquoi qu'il l'aurait plus ?

— Va savoir. C'est plein de choses qu'on comprend pas...

Ses yeux se sont posés sur moi, avec cette tendresse qui me faisait tant de bien.

— La nuit, je le tiens serré contre moi. Tu vois, je me dis que ça me rapproche un peu de lui.

— Il te manque, hein ? j'ai dit connement.

— Tout me manque, Abdou. Mais j'ai plus envie de rien. Va comprendre ! Même pas de le revoir, de le serrer contre moi, de l'embrasser.

J'ai eu envie de chialer, putain.

— Mais lui... Peut-être qu'il a envie, lui. Moi, tu vois, mes vieux...

J'ai chialé.

Je venais de les revoir. Ça ne m'était jamais encore arrivé depuis cette saloperie de nuit. C'était le 5 juillet. Jour de la fête de l'Indépendance nationale. Ça grouillait de monde dans les rues. Mon père me tenait la main. Ma mère marchait à côté de lui. On cherchait un taxi. Il nous avait promis de nous amener à Sidi Ferruch, une belle plage à une quinzaine de kilomètres d'Alger.

J'étais heureux.

C'était plein de jours heureux, ce pays.

Au retour, je me souviens, la radio du taxi avait annoncé qu'une bombe venait d'exploser au marché de Baradi, à vingt-cinq kilomètres. Le chauffeur, comme si de rien n'était, avait enclenché une cassette. De Cheb Mami, mon préféré.

Ayit fik en'ssaaf ouanti m'aamda
Li bik biya oua Alache sada

Le malheur n'existait pas.
Il était loin encore.

Alche Alache Alache Ya lile
Alche Alache Alache Ya ain
Alche Alache Alache...

Rico m'a attiré contre lui.

— On peut rien contre ça, Abdou. C'est comme si la vie s'était emballée, et... Enfin, pas la vie... le mal. Je sais pas pourquoi. Titi, il savait pas. Félix non plus. Mirjana non plus. Toi peut-être, tu sauras, un jour...

J'ai reniflé, puis j'ai essuyé mes larmes.

— Tu crois ça, toi, qu'un jour...

— Peut-être, peut-être... quand on sera des millions à être morts. Attends...

Il a soulevé la tête du matelas, et il en a sorti un livre. *L'Odyssée*, d'Homère. Un bout de papier dépassait.

— J'ai trouvé ça dans un bouquin. Pas dans celui-là, dans un autre. Tiens, lis.

C'était une belle écriture ronde, large. Une écriture de fille, j'ai pensé. « Peut-être que quand des millions d'êtres auront été détruits, d'autres seront-ils créés, et je me découvrirai des frères là où je croyais n'en point avoir. »

— Ça fait un peu prêchi-prêcha, non ?

— Ça explique peut-être, ça explique…

— Ouais… On se fait rien qu'entuber par des mots, je crois. C'est comme avec le juge, tu vois. Son rôle, il dit, c'est de nous aider dans notre situation. Il dit ça comme ça, l'enfoiré ! Au début, tu penses qu'il est gentil, tout ça. Puis, dès que t'y réfléchis un peu, que tu grattes derrière ses phrases, tu comprends qu'à dix-huit ans t'es bon pour le retour au pays. Que tu le veuilles ou non.

— Je sais pas moi, Abdou. Tout ça… Je sais plus. Tu vois…

Il est devenu grave, tout à coup.

— Ça te fait mal, là ? il m'a demandé, en montrant mes brûlures.

Il a failli poser sa main sur ma joue. Mais il ne l'a pas fait. Ses doigts ont simplement retracé dans l'air les cicatrices. Comme il avait redessiné le cul de la fille sur l'affiche. Avec la même tendresse.

Avec amour.

C'est la première fois que quelqu'un se permettait de me poser la question. Un autre que lui l'aurait fait, même à l'association, sûr, je lui aurais balancé mon poing sur la gueule.

— Si, des fois. Faut toujours que je fasse gaffe que ça s'infecte pas.

— L'ours, si tu veux, je te le donne.

Et il l'a poussé vers moi.

— Sans déconner ?

— J'ai l'air de déconner ?

— T'es vraiment super !

Nos yeux se sont croisés.

— Je vais le laisser là, je crois. Qu'est-ce t'en penses ? Il est bien, là. Et puis... je viendrai le voir souvent, non ?

— Ouais, c'est bien, ça.

On s'est encore regardés.

— Zineb, je l'appelle. Ça te gêne pas ?

— C'est ton copain qui est resté là-bas ?

J'ai hoché la tête.

— Salut, Zineb, a dit Rico.

22

Des heures et des heures à regarder la mer.

Durant cette période, vous l'imaginez, je n'ai pas souvent mis les pieds aux Jeunes Errants. J'y passais le matin et le soir, pour signer le registre des présences. Juste pour me garantir le gîte et le couvert !

Ils s'en faisaient une raison, à l'association. De toute façon, comme l'a déclaré le juge des enfants, je suis un gamin incontrôlable.

Un réfractaire, c'est le mot exact.

Ce que j'ai vécu, je refuse de m'en faire une raison. Je ne l'admets pas. Je ne l'admettrai jamais. Je ne veux pas.

L'essentiel, m'avait expliqué Driss, c'est que je garde le contact. Il était inquiet pour moi, Driss. Pour Karim aussi. Et pour tous les gamins qui débarquent à l'association.

— Va pas croire, Abdou, il m'avait dit, quand je suis arrivé de l'hôpital, c'est sans avenir ici, question boulot ou papiers.

Ça m'avait plu qu'il dise ça. Au moins, c'était clair. L'avenir, ce n'était ni ici, ni chez moi. Ni ailleurs.

Alors, c'est vrai, on peut faire une connerie à n'importe quel moment. Dealer. Attaquer une petite vieille. Braquer une pharmacie. Il suffit que ça nous passe par la tête, et qu'on ne trouve pas la raison pour ne pas la faire, la connerie.

J'ai compris ça, un après-midi, en découvrant les dernières Nike, chez Go Sport. De les regarder, ça m'a filé des crampes à l'estomac. Comme quand on a faim. Pourquoi je peux pas me les payer ? Pourquoi d'autres oui, et pas moi ? Qu'est-ce que j'y ai fait, au Prophète ? On a toutes ces questions qui viennent à l'esprit. Et une seule réponse. L'injustice. Vous voyez, ça commence comme ça.

On avait parlé plusieurs fois de tout ça, avec Driss. En arabe. Je le précise, parce qu'à l'association, ils préfèrent qu'on s'exprime en français. Sur le mur, à l'entrée, il y a une pancarte où c'est écrit : « Celui qui parle la langue du peuple prévient son malheur. » Moi, ça me fait du bien de parler ma langue, au moins pour dire ces choses qui tournent dans ma tête. J'arrive mieux à les exprimer. À me comprendre aussi.

— Et puis, il y a Rico, j'avais expliqué à Driss. Je ne peux plus l'abandonner. Tu t'occupes de moi, je m'occupe de lui… Il va mourir.

— Écoute, on peut l'aider.

C'est ce qu'on lui avait proposé à Rico, quand il venait au foyer, rue Forbin. De l'aider. De le prendre en charge.

— M'aider à quoi ? il avait répondu.

— À t'en sortir. À te trouver un petit job. On l'a fait pour d'autres. Tu ne vas pas rester comme ça ?

— Pourquoi ?

— Ben, Rico, c'est pas une vie. Tu le sais bien.

— C'est quoi la vie ? Ça ?

Il avait montré un type en costard, qui passait devant eux, pressé, un portable collé à l'oreille.

— Ça, j'ai déjà vécu. Je sais où ça mène. Exactement là où je suis aujourd'hui. Alors, me fais pas chier, Jeannot.

Et il avait coupé les ponts, Rico. Avec les foyers de nuit. Les asiles de jour. Les premiers temps, à la recherche d'une planque, il avait même dormi dans des containers, sur le port.

Rico n'entrerait pas dans les statistiques de réinsertion. D'autres oui, sans doute. Heureusement. Ou malheureusement, je ne sais plus aujourd'hui. Mais pour un qui s'en sortait, combien ils étaient, à plonger, au même instant ? On avait parlé de ça aussi, avec Driss. Il n'avait pas pu me répondre. Ni me dire combien ils étaient à Marseille, dans la rue, comme Rico. Mille ? Deux mille ? Et combien on était de jeunes clandestins, comme moi. Rien qu'aux Jeunes Errants, le registre en affichait cent quatre-vingt...

— Des privilégiés du malheur, on est, je lui avais répondu à Driss.

Il s'était mis en rogne.

— Merde, Abdou ! On peut le faire prendre en charge par le Samu social. T'es pas con, quand même ! Ils peuvent le soigner. Tu dis que c'est ton ami...

Il me semblait entendre Rico en train de convaincre Titi d'aller à l'hôpital. Moi, Rico, je ne voulais pas qu'il se mette à me fuir, qu'il refuse de me parler, comme Titi l'avait fait avec lui. J'acceptais. J'essayais de comprendre. Je voulais l'accompagner jusqu'au bout de son chemin. Et j'en avais mal. Mal. Merde, vous pouvez le piger, ça !

— Arrête, Driss !... Rico, c'est pas ça qu'il veut.

Il s'était énervé.

— Personne ne peut vouloir mourir.

Je l'avais regardé. Mon grand frère de Marseille. On n'était toujours pas sur la même longueur d'onde. On était comme dans deux camps différents, pas ennemis, mais… étrangers, et pourtant on parlait la même langue. Pourquoi ?

— Moi, ça m'arrive souvent, j'avais dit. Le matin, quand j'ouvre les yeux.

— Arrête de déconner, Abdou !

J'avais arrêté, bien sûr. Par une pirouette dont j'ai le secret. Genre, mais non, t'inquiète Driss, mon truc dans la vie, c'est de m'éclater à la fumette. Tant que j'ai du shit, j'ai de l'espoir… Puis j'allais faire une bise à Christine et je filais à la recherche de Rico.

Ma journée commençait.

Le meilleur moment de la journée, c'est quand on allait voir la mer, avec Rico. Quel que soit le temps, sauf si ça pissait des cordes. On passait d'abord par sa planque. Il vidait son caddie, triait, rangeait les affaires, puis il s'avalait une plaquette de Doliprane avec un coup de pinard ou une bière, et on filait jusqu'au bout de la digue du fort Saint-Jean. En coupant par les quais, là où ils ont rasé les vieux hangars.

On aimait bien être à cet endroit. À l'entrée de la passe. Face au phare Sainte-Marie, sur l'autre digue, la grande, la digue du Large.

— Quand il fera beau, je t'emmènerai de l'autre côté. Sur le phare. Tu vois l'escalier, à gauche. Tu montes, et là-haut, tu poses ton cul par terre, le dos contre la pierre, et t'as plus qu'à regarder. La mer, les îles. C'est magnifique. C'est la plus belle chose que j'aie jamais vue de ma vie.

Léa l'y avait emmené. À son école, il lui avait obtenu une autorisation du Port autonome pour faire des photos. En fait, ce qu'elle voulait, c'était regarder avec Rico le soleil se coucher sur la rade.

Ils avaient fait l'amour en haut du phare, sur le terre-plein.

Souvent, quand il regardait la mer, la mémoire des choses lui revenait. Des bouts de souvenirs. Le temps se remettait en place dans sa tête.

Les yeux de Rico s'étaient fixés sur le phare.

— Léa…

Elle avait déboutonné sa braguette, puis, relevant sa robe, elle était venue s'asseoir sur lui. Son corps s'était serré contre le sien. Brûlant. Ils étaient restés ainsi, enlacés, les yeux dans les yeux. Une éternité.

Ses lèvres avaient effleuré les siennes, y déposant un goût de sel. Elles avaient glissé sur sa joue, dans son cou, son oreille, en titillant le lobe, puis elles étaient revenues à son visage. À sa bouche, entrouverte, qui attendait son baiser. Sa langue.

— Ne bouge pas, elle avait murmuré.

Rico était au supplice.

— Ne bouge pas.

Ses jambes avaient enserré sa taille, comme des algues, et elle s'était mise à remuer imperceptiblement, les mains accrochées à ses épaules. Son teint hâlé était ruisselant du soleil couchant et des embruns salés.

— Tresser nos destinées, a murmuré Rico, sans lâcher le phare des yeux.

— Quoi ? j'ai demandé.

— Je crois qu'elle a dit ça, tresser nos destinées, à cette mer. Je ne sais plus.

Comme souvent quand il faisait des efforts pour se souvenir, Rico s'épuisait. Il a joint ses mains devant lui, comme pour prier.

— Elle aimait la mer. Cette mer. Elle me l'a fait aimer. Oui, je crois, en liant nos désirs à elle. Elle disait… qu'elle était… qu'elle était comme un rêve, c'est ça. Que cette mer est comme un rêve qu'on doit regarder les yeux ouverts, un rêve dont on ne se réveillerait pas. Tu comprends ça ?

J'ai hoché la tête.

Je ne comprenais pas vraiment, mais je sentais ce que cela voulait dire, et ça me convenait.

— On peut se tromper, a dit laconiquement Rico, en s'allumant une clope.

— Tu m'expliques, là ? J'ai pas suivi.

— Bof...

Il a tiré férocement sur sa clope, puis il a sorti le bouquin de sa poche. *L'Odyssée*. Ce livre, il m'avait dit, lui rappelait Léa. Depuis quelque temps, je lui en faisais la lecture. Rico n'arrivait plus à se concentrer sur les mots, les phrases. Moi, ça ne me déplaisait pas, et puis c'était une belle histoire.

— Tiens, lis.

Au début, Rico s'était énervé parce que je posais plein de questions, chaque fois que je tombais sur un nom que je ne connaissais pas.

— C'est quoi, une nymphe ? j'avais demandé.

— Putain, Abdou, tu vas pas t'arrêter sur tous les mots ! Qu'est-ce qu'on en a à foutre de ce que c'est une nymphe ! Elle s'appelle Calypso, d'accord. Et c'est une nymphe, d'accord... L'important, c'est l'histoire, merde ! Et la petite musique de l'histoire. Si chaque fois, il faut savoir, comprendre, tout ça, on va se faire chier... D'accord ? Allez, reprends au début.

— *Il ne restait que lui à toujours désirer le retour et sa femme, car une nymphe auguste le retenait captif au creux de ses cavernes, Calypso, qui brûlait, cette toute divine, de l'avoir pour époux.*

On pouvait aussi rester des heures sans parler. Assis l'un contre l'autre. Jusqu'à ce que l'humidité du soir nous sorte de notre torpeur. Dans ces moments-là, Rico fumait clope sur clope, absent. Je le regardais. Il semblait alors s'abandonner à quelque chose qui m'était incompréhensible. Un sourire, parfois, venait flotter sur ses lèvres. J'en frissonnais.

— Qu'est-ce qui te fait sourire ? j'ai demandé.

C'était deux jours avant tout ça.

— Je souris à mon rêve, si tu veux savoir. Oh putain ! tu peux pas la fermer un peu !

J'ai senti le froid qui était en lui s'installer en moi.

Ce n'était pas le rêve de Léa. Ce n'était pas le rêve de Mirjana. Je le savais. C'est cette femme, sans visage, à la voix douce, caressante. Celle qui, dans ses nuits, de plus en plus souvent, venait le chercher, lui prenait la main, et lui demandait : « Pourquoi tu ne souris pas ? Pourquoi tu ne veux pas me sourire ? »

J'ai eu envie de me lever, de partir en courant dans les rues de Marseille à la recherche de Léa. Merde ! Il devait bien y en avoir une. Une Léa qui pourrait lui dire : « C'est moi, Rico. Je t'ai tant attendu, si tu savais... » Une Léa qui redonnerait chair à ses souvenirs, à ses espoirs de jeunesse. Et qui remettrait enfin de l'ordre dans sa tête. Une fois pour toutes !

Je voyais ça, putain ! Je le voyais bien.

Le monde reprendrait son cours.

Différemment. Dans le bon sens.

Le sens de la vie.

Saloperie !

Rico, j'avais envie qu'il me prenne dans ses bras. Et qu'il me dise : « Je t'aime, fils. » Comme le faisait mon père, quand j'allais me coucher. Juste pour m'aider à croire, avant de dormir, qu'il y aurait un demain à demain, des grandes fêtes, des méchouis, des Tom et Jerry à la télé, des matches de foot, des bains à n'en plus finir dans le port, des filles à regarder...

— Je me les gèle, j'ai dit.

Et je me suis levé.

— J'arrive, a répondu Rico.

J'ai eu l'impression qu'il n'était plus là. Qu'il n'était déjà plus là.

J'ai marché les mains dans les poches. Un vieil Algérien était en train de pêcher. Je l'avais repéré en venant. Cela faisait au moins deux heures qu'il était là, et je ne l'avais pas vu ramener le moindre poisson.

— Ça mord ? j'ai demandé en français.

— *Meïtta,* il m'a répondu en arabe.

C'est mort.

Un pêcheur nous avait déjà répondu ça, à moi et à Zineb, l'été dernier, sur le port d'Alger.

Meïtta.

Léa, je crois, avait confié à Rico : « En regardant la mer, tu vois, je comprends toute la vie qui est en moi. Sur la terre, il n'y a rien. Elle est laide, la terre. Rien n'y change. Tout y est comme mort. Même les gens... »

Mais c'était peut-être Mirjana qui lui avait dit ça.

Ou Rico, qui l'avait marmonné un soir.

Ou moi qui l'aurais pensé.

Parce que je le pensais.

23

Un petit tour en voiture, rue Sainte-Françoise.

Assis sur le vieux matelas, j'attendais Rico depuis des heures.

— Qu'est-ce t'en penses, Zineb? j'ai demandé à l'ours en peluche.

Il n'en pensait rien, et on a continué à attendre.

Je n'avais pas vu Rico de la journée. Je m'étais tapé deux fois l'aller-retour sur son itinéraire, en vain. Centre Bourse, église Saint-Ferréol, quai du Port, rue Caisserie, place de Lenche, quai du Fort-Saint-Jean. Chaque fois en repassant par sa planque.

J'étais en rogne de ne pas savoir où il était. Quelque chose avait dû se produire, qui l'avait amené à changer ses habitudes.

Quelque chose d'important.

À mon second passage dans sa planque, son caddie était là. Mais les affaires qu'il avait ramassées n'avaient pas été triées. À côté du caddie, un gros sac de marin, à la toile usée.

Une rencontre.

Je me suis roulé un pétard énorme, et je l'ai fumé doucement. Karim venait de me fournir. De la colombienne. « Le top, tu verras. »

J'aime bien cet instant, celui de la première taf,

quand la fumée vient percuter le fond de ma gorge. Les yeux fermés, la respiration bloquée, je la sens m'envahir. Je la relâche doucement, juste au moment où mes tempes se mettent à battre. C'est bon, là.

J'aurais bien aimé qu'une chouette nana soit avec moi. Ah ouais! La fille d'Aubade, par exemple. Salima, elle s'appellerait. Non, pas Salima! T'es louf ou quoi, Abdou! T'as déjà vu une femme arabe montrer son cul! Non. Marina alors. Ça fait italien, c'est pas mal. Ou Carmen. Non, pas Carmen...

J'ai regardé Zineb, en soufflant un peu de fumée sur sa tête. Tu sens, Zineb? C'est de la bonne, cette herbe. Putain, c'est vraiment cool.

Vanessa. Voilà, Vanessa. Avec des nichons comme ceux de Sophie Marceau.

— Tu me donnes une taf, elle dirait, en tirant sur sa petite culotte en dentelle.

Elle resterait comme ça, dans la pause qu'elle a sur l'affiche. Tout le temps. Enfin, un bon bout de temps. Jusqu'à épuiser toute la leçon 27, quoi. Je collerais mes lèvres sèches sur les siennes, et, comme Mirjana l'avait fait à Rico, je lui lâcherais la fumée dans sa gorge.

— T'aimes ça, Vanessa?

Elle aimerait, sûr.

Mon frère, il disait qu'un peu de fumette avant de baiser, c'était bon pour les filles. Leur corps, juste après, il est comme pétri, recuit, assoupli, tu peux pas savoir.

Je pouvais pas savoir, non. Je ne sais toujours pas. Je n'ai encore jamais couché avec une fille. Mais après quelques tafs de cette colombienne, Vanessa, sûr, elle serait aussi bonne que du *khobz-al-aïd*, le pain de fête que faisait ma mère.

Ouahou... Vanessa...

J'ai écrasé le mégot. Je bandais comme un âne marocain. Zineb n'en revenait pas. J'ai saisi ma queue brûlante. Ça me piquait dedans, comme si elle était pleine de sauce pimentée. De la *dersa*.

Foutue colombienne !

Vanessa.

Je me suis endormi.

Leurs voix, dans la galerie, m'ont tiré du sommeil. J'ai fait un bond. En me disant que, merde, avec tout ça j'avais oublié d'aller signer le registre à l'association. J'ai pensé ça. Et que Driss, il allait me passer un savon. Les voix se sont rapprochées.

Et Rico est entré.

Un mec était derrière lui. Rico tenait deux grands cartons à pizza, et un sac en plastique dans lequel tintaient des bouteilles. Le type portait quatre autres gros sacs.

— C'est Dédé ! cria Rico.

Il était méchamment excité.

— Dédé, t'imagines ! Ça fait quatre jours qu'il est à Marseille, ce con !

— Salut, a dit Dédé.

— Moi, c'est Abdou.

— Je sais.

— Pose tout sur le matelas, a dit Rico.

Il y avait deux packs de douze bières, six bouteilles de pinard et une demi-bouteille de whisky.

— On va faire la fête, a annoncé Rico.

— Ça pue, ici, a dit Dédé en allumant une clope.

— Où que vous étiez, bordel ? Je t'ai cherché, moi…

— On est allé boire des coups, a répondu Dédé. Ça fait quatre jours que je le cherche, cet enfoiré ! J'ai couru tout partout. L'asile de nuit de la rue Forbin, le foyer de la Madrague-ville, l'accueil de jour place

Marceau. Un vrai jeu de piste. Chaque fois, y en a un qui croyait l'avoir vu…

— On s'est retrouvé le plus connement possible, a poursuivi Rico. Sur le Vieux-Port. Le temps qu'on repasse ici, puis qu'on se raconte notre vie… En un an, putain… Eh! tu sais pas? Jo, il a été libéré! Il y a… Combien t'as dit?

— Six mois.

— Ouais, six mois. Et attends, en plus des excuses du tribunal, il va toucher le jackpot. 2 600 balles par jour de taule! Tu réalises, Abdou. Ça en fait du fric, tout ça.

— Si Jo il s'était tapé perpète, rigola Dédé, il serait milliardaire!

— Et Félix? j'ai demandé.

Dédé a haussé les épaules.

— Il a disparu, a expliqué Rico. Un matin, plus personne l'a revu. Il a juste emporté son ballon. Rien d'autre.

— Je pensais qu'il serait descendu sur Marseille, tu vois. Il en parlait souvent. Et de toi…

— Paraîtrait que Norbert, son patron, il l'aurait surpris en train de coucher avec sa femme. Avec Anne…

— C'est ce qui se raconte, dans la cité, a précisé Dédé.

— Et Norbert, il en dit quoi, lui?

— Qu'est-ce que j'en sais, moi! Tu me vois me pointer à la ferme, et lui demander, à Norbert : « Alors vieux, c'est vrai, Félix, il a niqué ta femme? »

Dédé s'est marré, comme d'une blague bien grasse.

— J'en crois rien, moi, a repris Rico. Félix, je l'imagine pas faire ça.

Moi non plus, je ne l'imaginais pas.

Pour ce que m'en avait raconté Rico, Félix, ce n'était pas son genre. Il avait dû y avoir un truc entre

Félix et Dédé, j'ai songé. À propos de Jo. De Jo et de Monique. Félix, il ne devait pas trouver ça bien, ce qu'il avait fait Dédé.

— Qu'est-ce que t'as à me regarder comme ça, petit ?

— Rien, j'ai répondu. Rien.

Je lui trouvais une sale gueule à ce Dédé. On ne serait pas copains, lui et moi. Rico ne m'avait jamais dit ce qu'il en pensait, mais un pote qui saute ta nana pendant que tu es en taule, pour moi, c'est un vrai dégueulasse.

Je n'ai pas arrêté d'y réfléchir en bouffant ma part de pizza.

Pauvre Félix. Ça m'aurait fait plaisir qu'il débarque ici, lui. « J'préfère pas en dire plus », il aurait dit. Sûr.

— On t'a pas encore raconté, a commencé Rico.

Après avoir bu des pastis dans un troquet de la Grand'Rue, il ne leur restait même pas cent balles à eux deux.

— Faudrait qu'on se renfloue un peu, a proposé Dédé.

— J'ai passé l'âge. Tu vois, Dédé, si ça tourne mal, je suis incapable de courir. Je me fais gauler en moins de deux.

Mais, finalement, Dédé avait réussi à convaincre Rico. Il n'avait pas eu trop de mal, je crois. En écoutant Rico me raconter leur aventure, j'ai bien compris qu'il n'avait pas pu résister au plaisir, je dis bien plaisir, de se faire peur. De jouer au voleur. Une dernière fois. Vous voyez, il n'y avait pas une parcelle de violence en lui. Ni haine, ni méchanceté, malgré ce qu'il avait vécu. Les mauvais coups, ce n'était pas son genre. C'était un homme bon, et ça ne datait pas d'aujourd'hui.

Dédé s'était un peu baladé dans le centre-ville et il avait repéré le bon distributeur de billets. Place Sadi-Carnot. Sur la rue de la République, à mi-chemin entre le Vieux-Port et la Joliette.

— Dès huit heures, c'est à peine fréquenté. Mais t'as pas mal de mecs en bagnole qui s'arrêtent. Vite fait, tu comprends. Z'ont pas à se faire chier pour se garer, rien… Faut juste un peu de patience… Comme d'hab', quoi.

Il était pile vingt heures, à l'horloge du centre des Impôts, quand ils se sont pointés devant la banque. Ils ont posé leurs fesses sur l'escalier d'entrée d'un immeuble, un litron de pinard devant eux, et ils ont fumé des clopes en attendant.

— Deux clodos, ça inquiète personne, a expliqué Dédé. Ça rassure même, je dirais.

Au bout d'un petit quart d'heure, deux Blacks, qui traînaient sur le trottoir depuis un moment, se sont approchés d'eux.

— Eh ! les mecs ! a grogné l'un d'eux, allez cuver ailleurs. On bosse là ! Et vos gueules, ça fait tache.

— Allez, on dégage, a dit l'autre.

— OK, OK, a râlé Dédé.

Ils se sont levés et, traînant les pieds, ils ont traversé la rue.

— C'est râpé, Dédé. Ce distributeur, il doit être dans le Michelin !

— Font chier !

— Mais c'était bien vu.

Une bagnole, une Clio noire, s'est arrêtée juste à cet instant. Dédé et Rico se sont assis, curieux de voir comment ils procédaient, les Blacks. Une fille, une brunette à lunettes, était au volant. Le mec, un jeune gringalet en blouson de cuir, est allé tranquille vers la caisse automatique.

— C'était idéal pour nous, ces deux-là, merde !

En moins de deux, les Blacks étaient sur eux. Le type s'est retourné, un flingue énorme à la main :

— Police ! il a hurlé. Bouge pas !

L'autre Black a détalé aussi sec.

— Police ! a crié la femme-flic derrière lui, un aussi gros flingue dans les mains. On bouge plus !

Au même instant, une sirène a retenti dans la rue, et une bagnole de police est arrivée, coinçant le fuyard.

Rico et Dédé auraient presque applaudi.

— Mieux qu'à la télé, a rigolé Rico

— Ouais... Et puis... elles sont sacrément bien gaulées les poulettes, ici.

Rico s'est levé.

— Cette banque, elle doit être aussi au Michelin poulaga !

Il s'est envoyé une rasade de pinard, en regardant les flics s'en aller, puis il a tendu la bouteille à Dédé.

— Bon, on a plus qu'à rentrer, comme des cons qu'on est...

— Ça va pas ! C'est tout bon...

— Quoi qu'est tout bon ?

— Les flics y passent une fois, pas deux. Ces mecs, ils devaient bosser rien qu'ici. Alors, forcément y se sont faits repérer, ces connards. Nous, on fait que passer... Pas vrai ?

— Dédé, t'es complètement barge.

— Non, j'ai soif ! Ça va aller, je te dis.

Et ils sont allés reprendre leur place à côté du distributeur, la bouteille de pinard devant eux. Trois bagnoles se sont arrêtées. Un mec. Un autre mec. Encore un autre mec et une fille.

— Y va plus rien rester, a soupiré Rico.

Il commençait à être fatigué. Ça ne l'amusait plus, je crois.

— Celle-là, a soudain annoncé Dédé.

C'était une Opel blanche. Toute neuve. Un couple à l'intérieur.

— Pas de panique, Rico. Et on fait comme on a dit, d'accord.

Rico a hoché la tête.

Une jeune femme est descendue. Blonde, le cul moulé dans un jean noir. Elle a laissé ouverte la porte de la voiture. Rico et Dédé se sont approchés.

— Z'avez pas cent balles ? a demandé Dédé à la jeune femme.

— Non, elle a répondu, sèchement.

Rico s'est engouffré dans la bagnole.

— Mon copain, il a un couteau. Et il est dingue. Si tu bouges, si tu cries, tu peux dire adieu à ta Suédoise.

Le bonhomme, c'était genre vieux beau, tempes argentées, petite moustache. Avec des bagouses plein les doigts. Et ses doigts tremblaient sur le volant.

— Bingo ! a lancé Dédé.

Il a ouvert la portière arrière et a poussé la fille dedans. Ça s'est mis à sentir la lavande.

— On habite à deux pas, a dit Dédé. T'expliques le chemin à monsieur.

— Laissez-nous, a pleurniché le mec.

— C'est pas loin, a répondu Rico. Tu connais la rue Sainte-Françoise ?

Il a secoué la tête.

— Vous traînez pas chez les pauvres, on dirait. Allez, je t'indique.

Rue de l'Évêché, ils sont passés devant l'hôtel de police.

— Ça, c'est chez les flics, a plaisanté Rico, mais on n'est pas attendu ce soir.

Place des Treize-Cantons, en haut de la rue Sainte-

Françoise, Rico a demandé au type de prendre à droite. Une rue très étroite, à sens unique. La rue du Petit-Puits. Il flippait tellement, qu'il s'y est repris à deux fois pour manœuvrer.

— Stop, a alors dit Rico. Nous, c'est là qu'on descend. Toi, tu vas tout droit. Sans t'arrêter. Après, ça redescend. Et c'est la civilisation.

Le type a démarré sans demander son reste. Sans même faire repasser sa nana à côté de lui.

Rico et Dédé ont pris les escaliers, derrière eux, pour rejoindre la rue de l'Évêché. Puis, peinards, ils ont tiré sur la place de la Joliette. On aurait dit que le camion à pizza les attendait. Quant à l'épicier chinois, il était ouvert jour et nuit.

Quatre bouteilles de pinard y étaient passées, dans l'histoire. Deux chacun. Moi, j'étais à la bière. Mais doucement. Même si j'avais dormi, les effets du pétard ne s'étaient pas dissipés. J'étais encore engourdi. Avec cette impression de continuer à planer.

En piquant du nez.

— T'en dis quoi ? m'a demandé Rico.

— Y a des Nike, chez Go Sport, j'ai baragouiné. Super, elles sont. Peut-être que j'aurai droit à un bakchich.

Et j'ai vraiment piqué du nez.

Finalement, je préférais la compagnie de Vanessa. Ma belle Colombienne.

24

En vrai, la vie est parfois plus belle
que les rêves.

Ils chantaient à tue-tête. Surtout Dédé, d'une voix
forte et grave. Rico, lui, toussait comme un dératé.
Une toux qu'il essayait de calmer en s'envoyant de
petites lampées de whisky. Visiblement, pendant
mon roupillon, ils avaient séché les deux dernières
bouteilles de pinard.

Ils se lançaient les titres des chansons comme des
défis, en rigolant. Ils ne se souvenaient, souvent, que
du refrain, qu'ils chantaient vite fait, pour passer à
une autre.

Et celle-là, d'Aznavour ?

Et celle-là, de Brel ?

— *Jeff,* a dit Dédé. Tu te souviens de *Jeff* ? Titi, il
l'aimait vachement celle-là.

— À la tienne Titi !

Non, Jeff, t'es pas tout seul...

— Putain, les enfoirés, quand j'y repense...

— Laisse tomber, Dédé, tu veux...

Allongé sur le matelas, je les observais depuis
quelques minutes. Je n'aimais pas comment il chan-

tait, Dédé. À gueuler, comme si les paroles n'avaient aucun sens.

— Et celle de Julien Clerc ? lança Rico :

Je le sais, sa façon d'être à moi, vous déplaît,
Mais elle est...

Et Dédé se mit à hurler :

Ma préférence à moi...

Je me suis redressé, lentement. Ma tête semblait servir de base à une escadrille d'hélicoptères ! Ça tournait, ça tournait, dans un boucan d'enfer !

— Vous en faites un de ces bordels !

— *C'est la fête, c'est la fête...*, a chantonné Dédé.

— Ça va ? m'a demandé Rico.

Il m'a tendu la bouteille de whisky. J'ai refusé, en grimaçant. J'aurais bien bu les chutes du Niagara. J'avais la bouche épaisse, pâteuse, et ma langue avait dû tripler de volume.

— Et ça, lança Dédé :

La belle de Cadix a des yeux de velours...

— *La belle de Cadix*, a repris Rico, *poum poum poum, poum poum poum*

— Putain, Luis Mariano ! On écoutait que ça chez moi ! Tous les dimanches, on y avait droit ! Georges Guétary, tout ça... et l'autre... Comment elle s'appelait déjà ?... Gloria Lasso, voilà. Gloria Lasso.

— Ouais, ben, j'aurais préféré, je crois. Mon père, c'était plutôt genre valses de Strauss, violonades et tout le bazar ! *Ta li tan tan tan, tsoin tsoin, tsoin tsoin...*

Je me sentais un peu comme un martien. Leurs chanteurs, je n'en connaissais aucun. Vu dans quel état ils étaient, ils en avaient pour la nuit à épuiser leur stock !

Finalement, je me suis ouvert une bière. C'était quand même pas si mauvais, la bière !

— Et Renaud, a dit Dédé.

— Renaud ! Je l'avais oublié ! Merde, je l'aimais vraiment bien, lui.

— Ben, au moins, il est de notre bord. Il chante la rue, quoi.

— Tu te souviens de *Mistral gagnant* ?

— C'est comment déjà ?

Et Rico s'est mis à chanter, doucement, d'une voix faible, cassée :

> *Et m'asseoir sur un banc, cinq minutes*
> *avec toi*
> *regarder le soleil qui s'en va*
> *Te parler du bon temps,*
> *qui est mort, et je m'en fous*
> *Te dire que les méchants c'est pas nous...*

J'ai regardé Rico. Des larmes perlaient au fond de ses yeux.

Des larmes d'ivrogne.

Des larmes d'amour.

— *Et les Mistrals gagnants,* a gueulé Dédé.

Rico s'est envoyé une longue rasade de whisky, il a passé son bras autour de mon épaule, puis il a chantonné, plus doucement encore

> *Te raconter enfin, qu'il faut aimer la vie,*
> *et l'aimer même si*
> *le temps est assassin et emporte avec lui*

> *les rires des enfants,*
> *et les Mistrals gagnants,*
> *et les Mistrals gagnants*

Il y eut un silence. Dédé s'est allumé une clope.

— Putain, tu vas nous faire chialer, Rico.

Rico, sans lui prêter attention, a posé son index crasseux sur mon nez, et, me regardant droit dans les yeux, il a repris :

> *... et les Mistrals gagnants...*

Ses paupières se sont fermées. J'ai senti mon estomac se nouer. Il partait, Rico. De plus en plus loin. De moi, de nous. De lui. Et je ne pouvais pas le retenir. Chaque mot résonnait dans ma tête comme un mot d'adieu.

C'était la première nuit que je passais dans sa planque. J'aurais aimé qu'on soit seuls, lui et moi. La présence de Dédé pesait.

Elle pesait sur Rico.

Comme la mort, j'ai pensé. Vous voyez, j'ai pensé ça, c'est étrange les choses.

Juste à ce moment, Dédé s'est mis à fouiller dans son sac.

— Au fait, il a dit, je t'ai pas montré ça ?

Il a tendu une coupure de journal à Rico. Un sourire cruel flottait sur ses lèvres.

— C'est quoi ?

— Je l'ai découpé dans *Ouest-France.* Je me suis glissé derrière Rico pour lire par-dessus son épaule.

Rennes : violée et tuée en rentrant chez elle, disait le titre de l'article. Il était daté de cinq semaines.

Rico s'est mis à trembler.

242

La femme, c'était sa femme.

Sophie.

Elle avait été agressée alors qu'elle revenait de son jogging quotidien dans le parc du Thabor, entre midi et deux heures. Son corps, nu, avait été retrouvé par son mari dans le salon de leur maison, rue de Fougères. C'est ce que rapportait le journaliste.

Rico avait relu l'article une seconde fois, plus lentement. Comme pour se convaincre que ce qu'il lisait avait vraiment eu lieu.

Pour la police, poursuivait le journaliste, le principal suspect était l'ancien mari de la victime, aujourd'hui « sans domicile fixe ». Selon des proches, celui-ci serait venu de nombreuses fois à Rennes pour la menacer, jusque devant l'école de leur fils. Plusieurs témoins affirmaient l'avoir vu rôder ces derniers jours aux abords de la maison.

Il était ensuite décrit comme un homme « jaloux et violent, que l'alcoolisme avait détruit ».

Rico a laissé tomber la coupure de journal. Il a regardé Dédé.

— C'était rien qu'une salope! Hein! C'est ce que tu m'as toujours dit.

Le poing de Rico est parti. En plein dans sa gueule. Sur son nez. Avec une rapidité et une force insoupçonnées.

— Putain! T'es fou!

Le nez de Dédé s'est mis à pisser le sang. Il en avait plein sa chemise.

— Connard! T'as vu ce que t'as fait!

Rico lui a sauté dessus, mais il avait épuisé toute son énergie, toute sa violence, dans ce seul coup de poing. Il s'est effondré sur Dédé, en chialant.

— Et mon fils !... Et mon fils !... Tu y as pensé, à mon fils ! Hein. Il avait plus de père. Maintenant, il a plus sa mère...

Dédé a repoussé violemment Rico. Ils ont roulé sur le matelas.

— Julien, s'est mis à sangloter Rico.

Il y avait un vieux manche de pioche contre le mur, je l'ai attrapé. Si cet enfoiré touchait à Rico, je le massacrais.

— T'es juste bon qu'à chialer.

Il s'épongeait le nez avec un chiffon sale.

— T'en avais envie, hein, de la sauter, de l'étrangler, cette salope, hein... T'arrêtais pas de dire ça... Mais t'en as jamais eu les couilles. T'as jamais eu les couilles de rien dans ta vie. C'est pour ça qu'elle t'a viré.

— Tire-toi, a juste dit Rico.

Dédé s'est levé.

Moi aussi.

Le manche de pioche à la main. Prêt à cogner.

On s'est regardé.

Haine contre haine.

S'il avait été capable d'une telle saloperie, sûr qu'il avait pu, tout aussi bien, coucher avec Anne, la femme du patron de Félix. Je me suis dit ça. Ce n'était peut-être pas vrai, mais ça me convenait. Et Félix, cela avait dû l'écœurer. Parce qu'Anne, il l'aimait bien. C'est pour ça qu'il était parti.

Loin de Dédé.

De tous.

Ouais, vous voyez, je me suis répété ça, en serrant fort le manche de pioche.

J'ai fait un pas vers Dédé.

— Barre-toi, on t'a dit.

Il a ramassé son sac. Devant la porte, il s'est retourné, et il a lancé à Rico :

— Je regrette pas, hé...

— Casse-toi, j'ai crié, en levant le manche de pioche.

— Son cul, j'ai jamais rien tiré d'aussi bon.

Et son rire a résonné dans toute la galerie.

Rico était prostré.

Je me suis glissé contre lui.

— Ça va aller, Rico. Il est parti. On va dormir, tu veux ?

Je lui ai tendu la bouteille de whisky, et il s'en est avalé une bonne rasade.

— Ça va aller, Rico.

— Une cigarette...

J'ai allumé une clope, et je l'ai glissée entre ses lèvres. Il grelottait.

— Qu'est-ce qu'il va faire, tout seul, Julien ?

— Il est pas tout seul, Rico.

La tristesse de son regard m'a terrifié.

— Je peux même plus aller le chercher.

— Il est pas seul...

Il m'a de nouveau regardé. J'ai baissé la tête. C'était insupportable, ce désespoir, au fond des yeux. Rico, il s'effritait tout en dedans. Il ne serait plus bientôt que poussière. Un tas de poussière.

— Y a ce type, j'ai osé, qui vivait avec elle. Alain. Il va s'occuper de lui. De Julien. C'est pas son père, c'est pas toi, mais il l'aime bien Julien, non ? Tu crois pas ?

La main tremblante de Rico est remontée jusqu'à sa bouche, pour tirer sur la clope. La cendre est tombée sur sa parka noire.

— Rico ?

— Ouais.

— Si... Si elle est partie vivre avec ce type, un jour,

245

c'est qu'elle l'aimait… et… aimer, c'est faire confiance, non ?

Il a éteint sa clope et s'est étendu sur le matelas, les yeux fermés.

— Rico ? Tu m'écoutes ?

Il a remué la tête, doucement.

— Elle avait confiance en lui, Rico.

Je me suis allongé contre lui, et je lui ai murmuré à l'oreille.

— Fais-lui confiance aussi, à ce type. Il est pas seul, Julien.

Puis j'ai attrapé l'ours en peluche, et je l'ai glissé dans les bras de Rico. Il l'a serré contre lui.

Mes yeux se fermaient.

À un moment de la nuit, Rico s'est tourné vers moi. J'ai senti sa main me caresser les cheveux, doucement. Comme le faisait mon père.

— Je t'aime, bonhomme, il a murmuré.

C'était bon comme un rêve, ces mots, cette main sur mes cheveux. Je rêvais, je me suis dit. Parce que ça ne pouvait être qu'un rêve, ces mots, cette main dans mes cheveux.

— Papa, j'ai murmuré.

J'aurais dû deviner que ce n'était pas un rêve.

J'aurais dû le sentir, quand les lèvres de Rico se sont posées sur mon front et que son haleine, chargée d'humidité pourrie, s'est répandue sur mon visage.

J'aurais dû me réveiller, au lieu de tenir serré contre moi l'ours en peluche.

Je croyais que c'était un rêve.

On croit toujours que les rêves sont plus beaux que la vie en vrai.

25

Une dernière chanson, et attendre, attendre…

J'ai sursauté.

Un bruit. Comme une lourde porte qu'on referme. Et le silence. Un silence lourd. Un silence humide. Et cette puanteur, forte, grasse, qui s'élève du sol.

J'ai ouvert les yeux dans le noir.

Deux yeux rouges me fixaient.

Le rat.

Je me suis relevé d'un bond. Serrant l'ours en peluche contre moi.

— Rico !

Le rat ne bougeait pas. Rico non plus.

— Rico !

Ma main, à tâtons, a cherché son dos, son épaule. Le secouer. Le réveiller. Lui demander de chasser ce rat. Je n'osais pas bouger. La peur.

Rico.

Rico n'était plus là.

La porte qui se referme.

J'ai serré plus fort encore l'ours en peluche.

— N'aie pas peur, Zineb. C'est qu'un rat.

J'ai fait un geste dans le noir. Un geste de la main. Le rat n'a pas bougé. J'ai eu l'impression que ses

yeux rouges grossissaient. Le rat devenait énorme.
Un rat loup. Un rat lion. Un rat éléphant.

— Ça va aller, Zineb! Ça va aller.

J'ai pensé à Jerry.

Et j'étais Tom.

— Bouh! j'ai crié.

Le rat ne bougeait toujours pas.

— Rico! S'il te plaît.

Rico.

Rico n'était plus là.

Je me suis réveillé, vraiment. Et tout s'est remis en
ordre dans ma tête. Cette caresse dans mes cheveux.
Ce baiser sur mon front. Et l'ours en peluche glissé
entre mes bras.

Un adieu.

— Rico! Non! j'ai gueulé.

J'ai craqué une allumette. Le rat a détalé vers
la porte et a disparu. J'ai allumé un des cierges. La
lueur vacillante a éclairé l'entrepôt.

Le vélo.

J'ai balancé par terre les sacs que Rico avait commencé à accumuler devant les roues. Je l'ai poussé
devant la porte. J'ai ramassé une longue ficelle qui
traînait par terre et j'ai attaché l'ours en peluche sur
mon ventre.

— On va y aller, Zineb. OK?

Il était OK.

On ne pouvait pas laisser Rico, comme ça. Seul.
Non, on ne pouvait pas l'abandonner.

Le bout de la route. Le phare.

Sûr qu'il est là, hein, Zineb?

Le mistral s'était levé. Froid. Une rafale m'a
giflé le visage. L'air glacial s'est attardé sur mes cicatrices. Elles se sont mises à brûler. J'ai déroulé le col

248

de mon pull, jusqu'à mon nez. Et j'ai enfourché le vélo.

— T'es prêt, Zineb ?

J'ai dévalé la rue François-Moisson, jusqu'à la place de la Joliette. Là, j'ai pris le boulevard, sous la passerelle autoroutière, entre les quais et les docks.

À fond sur les pédales.

Il roulait ce putain de vélo, mal, mais il roulait. Pour trois coups de pédales, un tour de roues. Plus trois autres coups de pédale, pour une rafale de vent. Le dérailleur grinçait, mais j'avançais.

Il fallait que je remonte un bon kilomètre pour choper le pont, sur le port, qui permettait de passer des quais à la digue du Large. Une fois de l'autre côté, il ne me restait plus qu'à me taper la même distance, mais dans l'autre sens.

Jusqu'au phare.

Ne pas penser.

Pédaler. Pédaler.

Rico. Attends-moi.

Attends.

Porte 4.

Aucun vigile en vue. Il devait boire le café. C'était l'heure du café. Quelle heure il était, je n'en savais rien. Mais c'était celle du café, sûr. Le jour se levait à peine. Plus je pédalais, plus le ciel devenait bleu. Et froid.

Maintenant, j'avais le mistral dans le cul. Je me sentais des ailes. Pour un coup de pédale, trois tours de roue.

Ne pense pas, Abdou.

Pédale. Pédale.

La dernière ligne droite.

Le maillot jaune au bout. Le podium.

Le phare.

Rico. Attends.

Pars pas comme ça.

Je longeais des cargos. Prêts à appareiller pour ailleurs. L'Afrique. l'Asie. L'Amérique.

On the road again.

Comment c'était ailleurs? Est-ce que c'était mieux ailleurs?

Le bout de la digue. Le bout du chemin.

J'ai balancé le vélo par terre. J'ai grimpé quatre à quatre les marches du phare. Jusqu'au terre-plein. Une rafale de mistral glacée m'a accueilli.

Rico était là.

Assis par terre. Le dos bien calé contre la pierre blanche. Les yeux ouverts. Sur le large. Sur les îles. Sur l'horizon.

La plus belle chose que j'aie jamais vue.

Qu'il voulait voir, Rico.

Une vague est venue se fracasser au pied du phare et s'est élevée, droite, dans le ciel.

La mer s'inventait des feux d'artifice.

Pour Rico.

— Rico!

Ça ne servait à rien.

Rico souriait. Les yeux ouverts.

Je n'ai plus osé le regarder.

Je me suis assis à côté de lui, j'ai détaché Zineb et je l'ai coincé entre mes jambes.

Et maintenant?

J'ai appuyé ma tête contre l'épaule de Rico, j'ai fermé les yeux et je me suis murmuré cette chanson que fredonnait mon père dans les mauvais jours :

J'ai beau essayer de me rappeler
mais en vain
ma jeunesse m'a filé entre les doigts.
J'ai tant usé mes semelles
me voici pétri de lassitude
les peines sont si nombreuses
que la mémoire n'en garde aucune.
Si je ne sais plus d'où je viens
bigre de chance que j'ai.

Mes larmes se sont mises à couler. Doucement.
— Pleure pas, Zineb. Pleure pas.

Une sirène de bateau a retenti dans le port.
Maintenant le soleil était haut dans le ciel.
Un soleil blanc. Froid.
Le soleil des mourants, j'ai pensé.
Le soleil des mourants.
J'ai glissé ma main dans celle de Rico. Entrelaçant mes doigts aux siens. Et j'ai attendu.
J'ai attendu, vous voyez.
Parce que, je me suis dit, ça ne pouvait pas continuer comme ça, cette vie.
Ça ne peut pas.

Pour ce roman, je me suis inspiré de reportages, d'enquêtes et d'entretiens publiés, ces dernières années, dans les journaux, plus particulièrement dans *Libération* et *Le Monde*, mais aussi dans *La Provence* et *La Marseillaise*.

Par ailleurs, je me suis appuyé sur l'indispensable ouvrage d'Hubert Prolongeau, *Sans domicile fixe*, coll. Pluriel, Hachette, 1993, ainsi que sur les récits d'Yves Le Roux (et Danie Lederman), *Mémoires d'un SDF*, Ramsay, 1988, et de Lydia Perréal, *J'ai vingt ans et je couche dehors*, J'ai lu, 1997.

TABLE DES MATIÈRES

5801

Composition Chesteroc International Graphics
Achevé d'imprimer en Europe (France)
par Maury-Eurolivres – 45300 Manchecourt
le 22 octobre 2001.
Dépôt légal octobre 2001. ISBN 2-290-31000-X
1er dépot légal dans la collection : février 2001

Éditions J'ai lu
84, rue de Grenelle, 75007 Paris
Diffusion France et étranger : Flammarion